Jurek Becker

Warnung vor dem
Schriftsteller

*Drei Vorlesungen
in Frankfurt*

Suhrkamp

edition suhrkamp 1601
Neue Folge Band 601
Erste Auflage 1990
© Suhrkamp Verlag Frankfurt am Main 1990
Erstausgabe
Alle Rechte vorbehalten, insbesondere das der Übersetzung,
des öffentlichen Vortrags
sowie der Übertragung durch Rundfunk und Fernsehen,
auch einzelner Teile.
Satz: Otto Gutfreund, Darmstadt
Druck: Nomos Verlagsgesellschaft, Baden-Baden
Umschlagentwurf: Willy Fleckhaus
Printed in Germany

1 2 3 4 5 6 – 95 94 93 92 91 90

Neue Folge Band 601

Im Sommersemester 1989 war Jurek Becker als Gastdozent für Poetik an der Johann Wolfgang Goethe-Universität in Frankfurt am Main. Er hatte es sich zum Ziel gesetzt, zu reden »von den Voraussetzungen für Literatur und von deren allmählichem Schwinden; von den Folgen der Literatur, den erwünschten wie den tatsächlichen; von den Folgen nicht nur für Leser, sondern auch für die Autoren; von der Wichtigkeit der Literatur im Leben eines Landes wie der Bundesrepublik und wie der DDR; von der Rolle, die Schriftsteller bei alldem spielen, ob als Täter oder als Opfer«. Während die gesellschaftliche Funktion des Schriftstellers in der DDR vor allem in seinem Kampf, Zeile um Zeile, gegen die Zensur bestand, ist das Produkt des Schriftstellers in der Bundesrepublik eine Ware neben anderen Waren. Die Ereignisse in der DDR haben Jurek Beckers Überlegungen bestätigt, und sie warnen zugleich, aus aktueller Perspektive betrachtet, vor einer Ausweitung der Situation in der Bundesrepublik auf die DDR. In diesem Sinne sind Jurek Beckers Vorlesungen aktuelle Warnungen vor dem Schriftsteller, aber auch Warnungen für den Schriftsteller.

Von Jurek Becker, geb. 1937, erschien zuletzt im Suhrkamp Verlag *Bronsteins Kinder*.

Warnung vor dem Schriftsteller

1. Vorlesung

Da der Titel dieser Vorlesungen Ihre Erwartung unmöglich in eine bestimmte Richtung gelenkt haben kann, sondern höchstens zu dunklen Vermutungen Anlaß gewesen ist, sollte ich zu Beginn doch wenigstens andeuten, was auf Sie zukommt. Die Wahrheit ist: Als ich den Titel schon vor vielen Monaten durchtelefonieren mußte, hatte ich selbst nur diffuse Vorstellungen. Daher habe ich einen gewählt, der mir nichts verbauen, also alle Möglichkeiten offenlassen sollte. Damit ist es nun vorbei.

Es wäre ein trauriges Unterfangen, wollte ich vor Ihnen als Germanist auftreten und darzulegen versuchen, daß sich die und die literarische Angelegenheit so und so verhält. Aber verstehen Sie diese Worte nur ja nicht als abfällige Bemerkung über Germanistik, vor deren Hervorbringungen ich die größte Achtung habe, jedenfalls mitunter. Vielmehr hält mich meine Unfähigkeit zu methodischem Vorgehen auf diesem Gebiet zurück, ich möchte nicht vor Ihnen dastehen wie ein Vogel, der sich als Ornithologe gebärdet. Überhaupt ist es ja wohl eher Sinn dieser Dozentur, den Vögeln ein wenig bei ihrem Zwitschern zuzuhören und bei ihrem Flattern zuzusehen, und nicht so sehr, sie als dilettierende Vogelkundler zu erleben. An diese Vermutung will ich mich halten.

Es wird natürlich von Literatur die Rede sein, doch auf die unsystematischste Art und Weise: von meinen Ansprüchen an sie und von meiner Unfähigkeit, diese Ansprüche zu erfüllen; von den Voraussetzungen für

Literatur und von deren allmählichem Schwinden; von
den Folgen der Literatur, den erwünschten wie den tatsächlichen; von den Folgen nicht nur für Leser, sondern auch für die Autoren; von der Wichtigkeit der Literatur im Leben eines Landes wie der Bundesrepublik
und wie der DDR; von der Rolle, die Schriftsteller bei
alldem spielen, ob als Täter oder als Opfer. Das muß als
Programmvorschau genügen.

Anfangen aber will ich mit einer eher privaten Mit-
teilung, mit der Darlegung eines Sachverhalts, der
Ihnen nebensächlich erscheinen mag, der für mich je-
doch, für mein Verhältnis zu Literatur ebenso wie für
mein Bild von Sprache, größte Bedeutung hat: Deutsch
ist nicht meine Muttersprache, ich komme vom Polni-
schen her. Erst mit acht, fast neun Jahren fing ich an,
Deutsch zu lernen, mein Polnisch war da aber ganz und
gar nicht das eines Neunjährigen. Es war im Sprachum-
fang eines Vierjährigen steckengeblieben, denn in diesem Alter wurde ich Umständen ausgesetzt, in denen
Sprache so gut wie überflüsssig war. Die ersten deutschen Vokabeln, an die ich mich erinnere, stammen aus
jener Zeit: ›Alles alle‹, ›Antreten – Zählappell!‹ und
›Dalli-dalli‹.

Ich habe also die Sprache, die heute meine einzige ist,
nie mit der Muttermilch, wie es heißt, eingesogen. Ich
lernte sie nicht nebenbei, nicht beim Kinderspiel, nicht
von Jahr zu Jahr entsprechend den Altersbedürfnissen,
sondern als Resultat einer organisierten Anstrengung,
so schnell wie möglich. 1946, mit neun Jahren, ging ich
zum erstenmal in die Schule, einen Kopf größer als alle
anderen. Für keine schulische Leistung belohnte mein

Vater mich so reichlich wie für gute Noten bei Diktat und Aufsatz. Wir entwickelten gemeinsam ein übersichtliches Lohnsystem: Für eine geschriebene Seite gab es im Idealfall fünfzig Pfennig, jeder Fehler brachte einen Abzug von fünf Pfennig. So lernte ich nebenbei rechnen. In der ersten Zeit verdiente ich kaum etwas, obwohl ich in so großen Buchstaben schrieb, daß es an Betrug grenzte. Aber ich bin ehrgeizig. Manche Fehler konnte ich nicht vermeiden, weil ich es einfach nicht besser wußte; doch für die, die ich aus Vergeßlichkeit oder aus Flüchtigkeit beging, haßte ich mich. Ich konnte das jeweils nächste Diktat kaum erwarten, natürlich ging es von Mal zu Mal besser. Bald wurde die Sache meinem Vater zu teuer, und er handelte mich auf zehn Pfennig pro Fehler und später noch weiter nach oben.

Allerdings ging es mir nicht nur ums Geldverdienen. Je weniger Fehler ich beim Schreiben und beim Sprechen machte, um so mehr stieg mein Ansehen in der Schule. Oder genauer gesagt: um so mehr nahm die Verachtung ab. Es war ja nicht eben prestigeträchtig, zu den gestern noch Verfolgten zu gehören, und wenn man dazu noch als einziger weit und breit nicht richtig sprechen konnte und wenn man zu allem Unglück die Klassenkameraden – richtiger müßte ich sagen: die Klassenfeinde – um ein hübsches Stück überragte, dann brauchte man nicht lange nach Problemen zu suchen. Es war für mich beinahe eine Existenzfrage, so schnell wie möglich mein Deutsch zu verbessern: Je eher ich die Fehler ausmerzte, um so seltener wurden die anderen darauf gestoßen, daß ich ein Fremder war. Und

wenn die Fehler ganz und gar aufhörten, würden sie
mich eines Tages, wenn auch fälschlicherweise, sogar
für einen der ihren halten. Daß mein Vater die Sache
auch noch hoch subventionierte, beschleunigte den
Lernprozeß. Schon in der dritten Klasse machte ich nur
noch solche Fehler, die keinem auffielen.

Einmal habe ich in einem Interview kühn behauptet,
diese Art des Lernens habe bei mir zu einem besonders
bewußten Verhältnis zur Sprache geführt; wo andere
plapperten, wo sie ihre Rede gleichsam bergab rollen
ließen, da müßte ich mit einem gewissen Aufwand an
Bewußtheit Regeln befolgen. Für einen Schriftsteller,
so wagte ich zu schlußfolgern, sei das wahrscheinlich
kein Nachteil. Heute weiß ich, daß ich Unsinn redete.
Heute halte ich einen anderen Aspekt für erheblicher:
daß es mir in der Schulzeit das größte Sprachglück be-
deutete, Fehler zu vermeiden. Ich wollte ständig unter
Beweis stellen, wie gut ich meine Lektion gelernt hatte,
niemand sollte mich bei Unkorrektheiten ertappen und
seine Schlüsse daraus ziehen. Daß die Norm auch wie
ein Vorhang sein, daß die Abweichung von der Norm
auch etwas sichtbar machen kann, das vorher regel-
gerecht verdeckt war, kam mir natürlich nicht in den
Sinn. Und heute habe ich Angst, daß dieser frühe Ehrgeiz mir so in Fleisch und Blut übergegangen ist, daß
ich ihn nicht mehr loswerde. Das wäre für einen
Schriftsteller nun der schrecklichste Nachteil. Ich liebe
ja solche Autoren, die Regeln verletzen, die Sprache
zerbrechen, wie um nachzusehen, was drin ist. Das
liegt mir nicht, und wenn ich es doch versuche, habe ich
das Empfinden, mich zu verstellen. Mich packt der

blanke Neid, wenn meine Frau zu mir sagt, ich solle endlich aufhören, sie zu bevormuttern.

Würde man einen Tischler fragen, wozu Tischlerei betrieben wird, wäre er wahrscheinlich verwundert. Das Bedürfnis nach Stühlen, Schränken, Tischen ist so augenfällig, ihr Gebrauchswert so offenkundig, daß der Frager leicht in den Verdacht käme, sich dumm zu stellen. Wenn er die Antwort tatsächlich nicht wüßte, brauchte man ihn nur für eine Weile in einen Raum zu sperren, in dem sich keine Tischlerei-Erzeugnisse befinden. Anders sieht es aus, wenn jemand nach dem Grund des Bücherschreibens fragt. Das Bedürfnis nach Büchern ist durchaus nicht offenkundig, ihr Gebrauchswert alles andere als augenfällig. Selbst wenn man die betreffende Person für einige Zeit in ein Zimmer ohne Bücher sperrte, wäre nichts erhellt; sie würde sich vielleicht langweilen, doch es gibt weiß Gott andere Mittel gegen Langeweile als Bücher, manchmal ist Langeweile sogar, wie Sie alle wissen, eine direkte Folge des Bücherlesens.

Ich vermute, daß seit den Anfängen von Literatur der wesentlichste Antrieb zum Schreiben das Bedürfnis nach Stellungnahme gewesen ist, also nach Widerspruch. Bestimmt existieren noch die verschiedensten anderen Motive, wie etwa das Bedürfnis, sich zu unterscheiden, sich zu verstellen, seine Originalität zu zeigen, zu unterhalten, zu gefallen, zu erschrecken, Aggressionen loszuwerden. Doch ohne das erstgenannte, so scheint mir, wäre es niemals zu dem gekommen, was wir heute Literatur nennen. Auf nahezu alle Bücher, von denen ich sagen könnte, daß sie für mich Bedeutung hatten, trifft zu, daß ein Autor darin von einem Unglück erzählt, von einem Unbehagen, von einer Unzufriedenheit. Von Zweifel oder Verzweiflung. Vom Nichteinverstandensein mit etwas, das ist. Und fast immer, wenn das Gegenteil versucht wurde, wenn ein Autor schrieb, um seinem Wohlbehagen Ausdruck zu geben, seiner Seligkeit, seinem Einverständnis, kam ein Resultat zustande, das nur einem Nebengebiet der Literatur zugehört, wenn auch einem umfangreichen: der Trivialliteratur. Es ist nur wenig übertrieben zu sagen, daß die Geschichte der revolutionären Literatur identisch ist mit der Geschichte der Literatur.

Das soll nun aber nicht heißen, Schriftsteller hätten sich als Dienstleistende an der Gesellschaft zu fühlen, ihre Aufgabe sei es, Ratschläge in Sachen Empörung unter die Leute zu bringen oder Anhänger für eine bestimmte Art von Verdrießlichkeit zu werben. Es wäre absurd zu behaupten, Kafka etwa habe eine solche Verpflichtung gespürt und sich als Gesellschaftskritiker empfunden. Trotzdem finden sich bei ihm die tiefsten, erstaunlichsten Einsichten über das Wesen einer Gesellschaft, über die geheimen Beweggründe menschlichen Handelns, über das Ausgeliefertsein des einzelnen an die vielen. Darum nenne ich ihn einen revolutionären Autor. Einmal schrieb er: »Wir brauchen aber die Bücher, die auf uns wirken wie ein Unglück.«

Die Qualität eines Autors steigt bestimmt nicht proportional zu seiner Ablehnung der ihn umgebenden Zustände. So wie er nicht dem Druck ausgesetzt sein sollte, die bestehenden Verhältnisse zu verteidigen (was er in der DDR zweifellos ist), sollte er sie auch nicht angreifen müssen (wozu er in der DDR, wenn er hier im Westen etwas gelten will, gezwungen ist). Wenn ihm beide Möglichkeiten freigestellt sind, zeigt sich ein interessantes Phänomen: das Fragwürdige an den Verhältnissen interessiert ihn fast immer, das Bewundernswerte fast nie. Zumindest war das so über die Jahrhunderte. Diese Präferenz ist wie eine Voraussetzung für Schriftstellerei: Wenn Sie Schriftsteller sein wollen, leiden Sie an etwas, seien Sie über etwas zu Tode erschrocken, stemmen Sie sich gegen etwas, werden Sie verrückt von etwas. Sonst sind Ihre Bücher zur Mäßigkeit verurteilt, es fehlt darin das Rasende, das Unausweichliche. Ohne ein Unglück können Sie nicht einmal Witze über Ihr Unglück machen. Glauben Sie aber nicht, daß ich die Folgen solchen Vorgehens überschätze.

Auch wenn es wahr ist, daß meine Ansichten durchs Bücherlesen wesentlich beeinflußt wurden, schätze ich die Wirkung von Literatur nicht sehr hoch ein. Sicher ist sie größer als null, genauere Angaben hielte ich für zu gewagt. So groß, wie mancherorts getan wird, ist sie jedenfalls nicht. So groß, daß es lohnte, Bücher zu verbieten und vor aller Welt als autoritäres, gedankenfeindliches Ekel dazustehen, ist sie garantiert nicht. Sie merken, ich komme unweigerlich auf die Literaturverhältnisse in der DDR zu sprechen.

Bücher und Theaterstücke und Filme haben dort ungleich größere Folgen als hier im Westen, sie lösen Diskussionen aus und führen andauernd zu Auseinandersetzungen, wie sie hier kaum denkbar sind. Auf den

ersten Blick kann nur einer von zwei Gründen dafür
ausschlaggebend sein: Entweder weisen die Bücher
und Stücke dort eine Qualität auf, die ihnen hier fehlt,
oder die dortige Öffentlichkeit ist unendlich sensibler
als die hiesige. Auf den zweiten Blick ist beides falsch.
Die Erklärung liegt vielmehr darin, daß die Literatur
der DDR ihren Einfluß zum größten Teil der Existenz
der Zensur verdankt. Was sich gegen die auflehnt, was
sich gegen die durchsetzt, hat die Anziehungskraft des
Unbeugsamen.

Wenn ich von der Wirkung von Büchern in der DDR
spreche, so meine ich natürlich nur einen kleinen Teil
der dort geschriebenen Bücher; und zwar die, in denen
von der staatlich verfügten Hauptmeinung abgewichen
wird. Die anderen haben keine andere Wirkung als
etwa das Fernsehen der DDR oder als die eine Zeitung,
die übers Land verteilt unter dreißig verschiedenen Namen erscheint, nämlich keine oder höchstens eine ein-
schläfernde. Die Bücher der Autoren aber, die sich mit
dem Zensor anlegen, werden selbst von denen gelesen
und bewundert, die sonst nie ein Buch in die Hand nehmen würden.

Die Sache funktioniert so: Stellen Sie sich vor, da ist
irgendein Artikel X, der interessiert Sie nicht. Sie sind
schon immer ohne ihn ausgekommen, er hat nichts
Reizvolles für Sie, eigentlich halten Sie es für vergeu-
dete Zeit, sich damit abzugeben. Eines Tages hören Sie,
dieser Artikel sei knapp geworden. Das ändert Ihre
Haltung nicht. Eines Tages sehen Sie auf der Straße eine
lange Schlange stehen. Sie erkundigen sich, wonach die
Leute anstehen, man antwortet Ihnen: Nach dem Arti-

kel X. Eines Tages fängt ein Gemunkel an, dieser Artikel solle verboten werden. Wenn man über ihn spricht, flüstert man, wenn man ihn besitzt, wird man beneidet, man verleiht ihn nur an vertrauenswürdige Leute. Sind Sie nicht inzwischen etwas neugierig auf diesen Artikel? Spielt er in Ihren Gedanken jetzt nicht eine größere Rolle als in all den Jahren davor? Bitten Sie nicht einen Bekannten, von dem Sie zufällig wissen, daß er Besitzer dieses Artikels ist, Ihnen die Kostbarkeit für ein paar Tage zu borgen? Und versichern Sie ihm nicht, als Sie sein Zögern bemerken, Sie wüßten sehr wohl, was der Artikel wert sei, Sie würden ihn sorgsam hüten? Und fühlen Sie sich nicht ein wenig geehrt, wenn der Bekannte sich durchringt und Ihnen seinen Artikel anvertraut? Eines Tages wird der Artikel X tatsächlich verboten. Und es ist wie Zauberei: Wenn dieser Zustand lange genug anhält, kommt unausweichlich der Augenblick, da Sie glauben, Sie könnten ohne X nicht mehr leben. Eine solche Macht hat der Zensor über Sie.

In dem Buch *Über Deutschland* von Germaine de Staël steht der folgende Satz: »Eine geistreiche Frau hat den Ausspruch getan, Paris sei der Ort in der Welt, wo man das Glück am leichtesten entbehren könne . . .« Dieser Satz wurde von der französischen Zensur gestrichen, im Jahr 1810, mit der Begründung, es gäbe jetzt so viel Glück in Paris, daß niemand es zu entbehren brauche. Ich kenne keine Aussage, die die Anmaßung von Zensur deutlicher zum Ausdruck bringt. Zensur ist immer die zur Instanz gewordene Geistlosigkeit, der ein Knüppel in die Hand gegeben ist. Zensur heißt immer: Gib Ruhe, oder dir passiert was.

Die Geschichte der Meinungsverschiedenheiten beweist, daß Zensoren noch nie einen Standpunkt vertreten haben, der sich später als richtig erwiesen hätte. Es gibt keine Ausnahme, immer sind sie reaktionär, immer haben sie unrecht. Allein die Tatsache, daß sie zensieren, setzt sie ins Unrecht. Daß sie früher oder später gezwungen werden, ihre Position zu räumen, kann nur ein schwacher Trost sein für die Zensierten, die ja mit ihrer Lebenserwartung rechnen müssen.

Die Urheber der Zensur haben von den Werken, die nach ihrer Maßgabe entstehen, keine sehr hohe Meinung. Deren Wirkung, so vermuten sie zu recht, kann nicht groß sein, deshalb müssen immer wieder dieselben Bücher geschrieben, dieselben Artikel gedruckt, in Radio und Fernsehen immer wieder dieselben Parolen verkündet werden. Die Masse macht's, so vermuten sie, als ausreichende intellektuelle Leistung gilt ihnen die Wiederholung. Denn jedes Werk, das sich den Regeln der Zensur unterwirft, ist dazu verurteilt, Wiederholung zu sein.

Vor einem Erzeugnis, das also wie Ramsch ist, dessen Qualität vor allem darin zu bestehen hat, eines von vielen ähnlichen zu sein, braucht man nicht viel Respekt zu haben. Wahrscheinlich wäre niemand überraschter als der Zensor selbst, wenn sich herausstellte, daß ein von ihm genehmigtes Buch die von ihm gewünschte Wirkung hat. Er zensiert weniger im Hinblick darauf, bestimmte Wirkungen zu erzielen – er will bestimmte Wirkungen verhindern. Anfang der siebziger Jahre habe ich eine Geschichte erlebt, die wie ein experimenteller Beweis für diese Behauptung ist:

In einer Buchhandlung in Rostock sah ich einen prachtvollen Bildband liegen, in den schönsten Farben gedruckt, auf Papier, wie man es in der DDR nicht alle Tage findet. Der Band hatte den etwas sperrigen Titel *Mit der Sowjetunion auf ewig freundschaftlich verbunden*. Wenn ich mich recht entsinne, war auf dem Umschlag ein russischer Soldat abgebildet, und zwar dieser bekannte Soldat, der ein glückliches Kind auf dem Arm hält. Ich blätterte in dem Buch herum, es enthielt vor allem solche Fotos, die keinen Zweifel daran ließen, daß sowjetische und DDR-Bürger ungewöhnlich gut miteinander auskommen. (Damals, zu Beginn der siebziger Jahre, war das noch so.) Ich fragte die Buchhändlerin, ob sie schon ein Exemplar davon losgeworden sei, worauf sie antwortete: »Schon sehr viele. Aber es ist seltsam mit diesem Buch – einzeln habe ich es noch nie verkauft, immer nur in Posten von zwanzig, dreißig Stück.« Sie verstehen – die Käufer waren Betriebe. Die Bildbände wurden an irgendwelchen Jahrestagen besonders verdienstvollen Werktätigen geschenkt, die sollten sehen, daß gute Arbeit sich lohnt.

Der zweite Teil der Geschichte spielt einige Monate später. Ich hatte ein Interview mit einer DDR-Zeitschrift, eine Journalistin stellte mir unter vielen Fragen auch die, welches Buch aus DDR-Produktion mir in letzter Zeit besonders gefallen hätte. Ohne eine Miene zu verziehen, sagte ich: »Am stärksten beeindruckt hat mich der vorzügliche Band *Mit der Sowjetunion auf ewig freundschaftlich verbunden*.« . . . Die Journalistin sah mich irritiert an, vielleicht dachte sie, ich nähme die Sache nicht ernst genug. Aber was sollte sie tun, mei-

nem Gesicht war kein Unernst anzumerken, es gibt ja
die seltsamsten Ansichten, sie mußte meine Antwort
notieren. Es war zwischen uns vereinbart, daß ich
einige Tage später eine Abschrift des Interviews zur
Prüfung erhalten sollte. So geschah es auch, und ich
fand alles korrekt wiedergegeben. Als aber bald darauf,
nach Tagen der Vorfreude, das Interview gedruckt
wurde, fehlten darin genau die eine Frage und meine
schöne Antwort. Wütend rief ich die Journalistin an,
ihr war die Sache peinlich, sie sagte, der verantwortli-
che Redakteur habe über ihren Kopf hinweg die Stelle
gestrichen. Tröstend fügte sie hinzu, ich sollte das
Ganze nicht allzu tragisch nehmen, gerade diese Antwort sei ihr von Anfang an etwas seltsam vorgekom-
men. Also rief ich den Redakteur an und fragte ihn, mit
welchem Recht er in meinem Interview herumstreiche.
Er entgegnete kühl: »Mit dem Recht des verantwort-
lichen Redakteurs.« Mir war nicht nach Wortklaube-
reien zumute, ich fragte, was um alles in der Welt er
dagegen einzuwenden hätte, wenn ich ein so lobens-
wertes Buch wie *Mit der Sowjetunion auf ewig freundschaftlich verbunden* in aller Öffentlichkeit lobte. Er
sagte: »Das war kein Lob, das war Hohn.« Darauf blieb
mir nichts anderes übrig, als den Entrüsteten zu spielen
und zu rufen: »Na hören Sie mal – Sie kennen mich
überhaupt nicht! Sie kennen nicht eine einzige meiner
Ansichten! Woher wollen Sie wissen, daß das Hohn
war?« Darauf er: »Das sagt mir der gesunde Menschen-
verstand. Es *kann* nur Hohn gewesen sein.« Es über-
stieg seine Vorstellungskraft, daß ich die Wahrheit gesagt haben könnte, und er hatte ja auch recht.

Zurück auf die andere Seite, auf die Seite der Leser. Nach meiner Beobachtung unterscheiden sich die Ansprüche eines DDR-Lesers von denen eines hiesigen. Vorweg sollte ich sagen, daß der Leser natürlich ein Monstrum ist, ein in der Wirklichkeit zum Glück nicht existierendes; trotzdem ist es möglich, Tendenzen zu nennen, Merkmale, die dort öfter, hier seltener anzutreffen sind, verbreitete Forderungen oder verbreitete Vorurteile oder besonders häufige Vorlieben und Abneigungen. Hören Sie also immer diese Einschränkung, wenn ich von *den* Lesern spreche.

Der Leser in der DDR wünscht sich von Büchern nichts so sehr wie ein sogenanntes Anliegen. Ihm ist Parteinahme von größter Bedeutung, der Autor soll für das eine und gegen das andere sein. Struktur und Sprachwitz, Feinheit und Schliff, Schönheitssinn und Stil sind wohl wichtige Beigaben, aber eben doch nur Beigaben. Ihre Bedeutung liegt vor allem darin, das Eigentliche zu voller Wirkung zu bringen: das Anliegen. Für Wahrhaftigkeit, für Freizügigkeit, Toleranz und Meinungsfreiheit, gegen Heuchelei, Vetternwirtschaft, Willkür, Bevormundung. Der Leser in der DDR weiß selbstverständlich, daß jedes Buch die Hürde Zensur zu überwinden hat, daher verlangt er nichts Übermenschliches. Er nimmt auch feinste Andeutungen in Zahlung, er akzeptiert Umschreibungen, er nimmt es hin, wenn eine brisante Ansicht nicht klar und deutlich ausgesprochen wird, sondern, wie der Fachausdruck lautet, zwischen den Zeilen steht. Der Platz zwischen den Zeilen hat für die DDR-Literatur größte Bedeutung. In den vom Leser bevorzugten Bü-

chern ist er bis zum letzten Millimeter vollgeschrieben,
es finden sich dort Mitteilungen, die, hätte der Autor
sie in sichtbaren Worten gewagt, unweigerlich vom
Zensor kassiert würden. Dabei übersieht der Zensor
diese Mitteilungen durchaus nicht, doch sind Strei-
chungen zwischen den Zeilen nicht ganz einfach;
außerdem möchte der Zensor nicht als übertrieben
beckmesserisch dastehen, also läßt er zwischen den
Zeilen oft Gnade vor Recht ergehen.

Ein Grund für die Fixierung der Leser auf sozial-
und gesellschaftskritische Inhalte ist schnell gefunden:
In einer Umgebung, in der es keine offene Diskussion
über gesellschaftliche Entwicklungen und Fehlent-
wicklungen gibt, in der sämtliche Zeitungen, Rund-
funk- und Fernsehstationen nur die Ansichten ihres
gemeinsamen Chefredakteurs verbreiten, in einer solchen Umgebung sind Bücher der letzte öffentliche Ort,
wo politische Meinungsverschiedenheiten ausgetragen
werden. Und das hat ihnen zu einem Ansehen und zu
einer Resonanz verholfen, die ohne diese Umstände
nicht zu erklären wären. Ob eine so beschaffene Aufmerksamkeit aber das ist, was man ein gutes Klima für
Literatur nennen könnte, ist eine zweite Frage. Das
Publikum scheint mir einfach zu begierig auf das Un-
botmäßige zu sein. Es hat sich eine Hellhörigkeit für
Andeutungen herausgebildet, von der man andernorts
den Lesern wohl ein Drittel wünschen möchte, die aber
auch etwas Übertriebenes und Bedrängendes hat. Das
Nichtangepaßte stellt die alles überragende Qualität
dar, und die Erwartung dieses Nichtangepaßten über-
lagert alle anderen Erwartungen.

Der Autor steckt in einer Zwangslage, er hat nur die Wahl zwischen zwei Pressionen: Entweder gibt er dem Druck der Zensur nach, oder er widersetzt sich diesem Druck. Theoretisch existiert für ihn natürlich eine dritte Möglichkeit: sich um all das nicht zu kümmern und nur der eigenen Einsicht zu folgen. Da aber unweigerlich ein Schreibresultat entsteht, das entweder der einen oder der anderen Richtung zuzuordnen ist, wird ihm niemand glauben. Es handelt sich um das Dilemma desjenigen, der eine bestimmte Tat vollbringen will, dem jemand befiehlt, genau diese Tat zu vollbringen, und der danach nie mehr beweisen kann, daß er nur das getan hat, was er ohnehin tun wollte.

Nehmen wir einmal an, ein DDR-Schriftsteller nimmt sich vor, zwei Geschichten zu schreiben. In der ersten soll von einem hemmungslosen Opportunisten die Rede sein; der tritt in die Partei ein, um Karriere zu machen, der verleugnet seine eigene Meinung so rigoros, daß er irgendwann keine mehr hat. Er ist in allem seinen Vorgesetzten zu willen und kommt auf diese Weise voran. Eines Tages wird er selbst Vorgesetzter und erwartet von seinen Untergebenen ein ähnliches Verhalten. So etwa. Unser Autor schreibt also die Geschichte und hat genau die vorhergesehenen Probleme: Ärger mit dem Verlag, Ärger mit der Zensur. Wenn er sich weigert, Änderungen vorzunehmen, und zwar solche Änderungen, die seine ganze Geschichte überflüssig machen würden, lehnt der Verlag sie ab. Sie erscheint in einer westdeutschen Anthologie, woraus sich automatisch der nächste Ärger ergibt, und so weiter.

Danach führt der Autor seinen ursprünglichen Plan aus und schreibt die zweite Geschichte. Sie handelt von einer durch und durch privaten Angelegenheit, die vielleicht in des Autors Leben eine Rolle gespielt hat, von seiner Schüchternheit bei der Begegnung mit einer Frau oder vom Erschrecken über die ersten Herzschmerzen. Die meisten Leute, die diese zweite Geschichte lesen, werden es nicht unvoreingenommen tun. Sie werden des Autors Schwierigkeiten mit der ersten noch nicht vergessen haben und werden sagen: Jetzt hat er aufgehört zu kämpfen, jetzt ist er müde geworden, jetzt haben sie ihn kleingekriegt.

Für dieses schiefe Licht, das auf einen Teil der DDR-Literatur fällt, sind aber auch gewisse Umstände außerhalb der DDR verantwortlich. Wenn ich von der Erwartung spreche, DDR-Autoren mögen den Zensor herausfordern, so gilt das erst recht für den Buchmarkt der Bundesrepublik. Die Ablehnung der offiziellen Kulturpolitik der DDR ist gewissermaßen die Eintrittskarte, die einem DDR-Autor Zugang zu den besseren Plätzen des bundesdeutschen Buchmarkts überhaupt ermöglicht. Daß ein Buch Schwierigkeiten in seinem Zuhause DDR hat, ist inzwischen eine so selbstverständliche Voraussetzung für die Teilnahme am hiesigen Literaturbetrieb geworden, daß sie kaum mehr erwähnt zu werden braucht. Ihre Werbewirksamkeit ist ohnehin nicht groß, dafür sind solche Schwierigkeiten einfach zu alltäglich. Nur bei Verboten sieht es anders aus – ein Verbot in der DDR ist hierzulande immer noch ein gutes Werbeargument.

Man kommt in den Genuß dieses Verbots nicht mehr

so leicht wie noch vor zehn Jahren – der Zensor hat
dazugelernt. Doch wenn man es klug genug anstellt,
schafft man auch das – der Zensor hat nicht genug
dazugelernt. Ohne Zweifel sind in der DDR schon
Bücher mit der Absicht geschrieben worden, sie verbieten zu lassen: mit Blick auf den westdeutschen Buchmarkt. Der Zensor ist ja leicht zu berechnen, man kennt
seine Schwächen und Empfindlichkeiten, man weiß,
auf welche Darstellungen er allergisch reagiert und wo
die Grenzen seiner Großmut liegen. Man kennt die
Knöpfe, die gedrückt werden müssen, damit die rote
Lampe aufleuchtet. Es gibt dazu einen Witz: Im Ver-
suchslabor sagt eine Ratte zur anderen: *Hast du gesehen, wie ich den Mann im weißen Kittel dressiert
habe? Jedesmal, wenn ich auf diesen Knopf drücke, gibt
er mir ein Stück Zucker . . .* Verkehrte Welt also, das
klingt, als wäre der Zensor auch ein Spielball in den
Händen des raffinierten Autors.

Doch glauben Sie nicht zu schnell, bei solchem Verhalten handle es sich um schlechten Charakter, um
Auswüchse des Erwerbstriebs. Bedenken Sie, daß Zensur nicht nur eine arbeitstechnische Größe ist, kein Är-
gernis, das man nach kurzer Aufwallung wieder vergißt. Sie ist in der Lage, großen ökonomischen Druck
auf den Autor auszuüben, im Handumdrehen ist die
Arbeit von zwei Jahren dahin. Auch hat der Zensor
glänzende Beziehungen – ist dir *ein* Buch verboten,
verkaufen sich über Nacht, aus geheimnisvollen Gründen, auch deine anderen Bücher schlechter. Oder es ist
plötzlich kein Papier da, irgendeine Nachauflage in
vorgesehener Höhe zu drucken . . . Daher ist der west-

deutsche Buchmarkt für den von der Zensur abgestraf-
ten Autor oft von außergewöhnlicher Bedeutung. Je
deutlicher er sich hier bemerkbar macht, um so ge-
schützter kann er existieren, also muß er auch auf die
Gegebenheiten dieses Buchmarkts Rücksicht nehmen,
ob sie ihm gefallen oder nicht. Die eine Form der
Nichtanpassung hat die andere Form der Anpassung
zur Folge, das muß nicht unbedingt ein bewußter Vor-
gang sein. Jedenfalls kann der Zensor solche Autoren,
die außerhalb der DDR nicht wahrgenommen werden,
leichter drangsalieren und brechen als solche, über die
man im Westen spricht.

Auch bei der bundesdeutschen Kritik unterliegen
Bücher aus der DDR gewöhnlich einer Sonderbehand-
lung. Eindeutig weist man ihnen die Aufgabe zu, das
Leben in einem Unrechtsstaat zu geißeln; und wenn ein
Autor sich erlaubt, diese seine Pflicht zu vernachlässi-
gen, kann er sich auf etwas gefaßt machen. Der Schriftsteller aus der DDR *hat* Widerstandskämpfer zu sein:
erst wenn er diese Qualität nachweist, reden wir über
alles andere. Seine Bücher können nur dann respek-
table Bücher sein, wenn sie in der DDR für Unruhe
sorgen.

Daß Sie mich nicht falsch verstehen: Auch nach meiner Meinung ist die Produktion von Unruhe eine
höchst sinnvolle Funktion von Büchern, wahrscheinlich ihre nützlichste. Nur kommt mir die Forderung
danach heuchlerisch vor, wenn sie sozusagen territorial
begrenzt ist, wenn sie für das Inland nicht gilt. Oder
haben Sie schon einmal einen bundesdeutschen Kriti-
ker über das Buch eines bundesdeutschen Autors sagen

hören: ›Alles gut und schön, allerdings steht er den Verhältnissen in seinem Land merkwürdig unkritisch gegenüber‹? Im Gegenteil herrscht die Ansicht vor, ein
hiesiger Schriftsteller habe sich auf das zu konzen-
trieren, was seine Sache sei – aufs Bücherschreiben;
politische Angelegenheiten sollte er besser denen über-
lassen, die davon etwas verstehen. Engagement wird
zwar hingenommen, gilt aber, unausgesprochen, als
degoutant.

Sie alle kennen die Bücher, deren Absicht es ist, ihren
Lesern das Gefühl zu vermitteln, daß sie in einer präch-
tigen Welt leben? Die überquellen von Zuversicht, Be-
hagen und Einfältigkeit und die von mehr Menschen
gelesen werden als alle anderen Arten von Büchern?
Bücher, die in übersichtlichen Sätzen geschrieben sind,
die trotz allen Frohsinns ein wenig Leid enthalten wie
ein unentbehrliches Gewürz, Bücher, aus denen die
Ratlosigkeit verbannt ist?
  Es herrscht weithin Einverständnis, solche Bücher
der sogenannten Trivialliteratur zuzurechnen. Zum
Beispiel fiele es kaum einem Rezensenten ein, eine Her-
vorbringung von Heinz Konsalik zum Gegenstande
ernsthafter Kritik zu erheben, obwohl im Kaufhaus das
Regal ›Konsalik‹ größer ist als das Regal ›deutschspra-
chige Belletristik‹. Die gehobene Kochkritik beschäf-
tigt sich ja auch nicht mit Currywürsten oder Hambur-
gern, selbst wenn damit tausendmal höhere Umsätze
erzielt werden als in Drei-Sterne-Restaurants. Man
kann wohl sagen, daß bei Büchern der erwähnten Art
ein Maximum an Profit einhergeht mit einem Minimum

an öffentlicher Würdigung. Das ist in der Bundesrepublik so, in Frankreich oder England, inzwischen sogar in der Sowjetunion.

Anders in der DDR. Dort gilt ein erheblicher Teil der nach meiner Maßgabe ernstzunehmenden Literatur als unerwünschte Randerscheinung, die in Parteiauftrag produzierte Trivialliteratur dagegen als beispielhaft und staatstragend. Wenn Sie hier von DDR-Literatur sprechen, dann haben Sie etwas vollkommen anderes im Auge als das, was die offizielle DDR als ihre Literatur feiert. Sie kennen kaum die Gotsche und Noll und Görlich und Sakowski, an deren Texten für DDR-Schulkinder kein Weg vorbeiführt und deren Bücher in den Buchläden als einzige nie ausverkauft sind. Gewaltige Produktionsschlachten werden darin geschlagen, es offenbart sich Zweifelnden die Richtigkeit der Parteitagsbeschlüsse, es setzen sich darin Kraft und Weisheit des Kollektivs durch und reißen den Zaudernden mit. Und wenn ein Buch in die Vergangenheit zurückreicht, wird gewöhnlich der Sieg der deutschen Kommunisten über den Nationalsozialismus geschildert, manchmal mit ein wenig Unterstützung durch die Sowjetarmee.

Die Autoren all dieser Texte verstehen sich als Dienstleistende. Sie betreiben ihre Schriftstellereien in der Gewißheit, nützlich zu sein. Dabei gehen sie eine Art Arbeitsteilung mit dem Zensor ein: So wie der meint, schädliche Gedanken auszumerzen, indem er sie aus den Büchern verbannt, so glauben diese Autoren, daß bestimmte Ansichten und Haltungen sich vervielfältigen, wenn ihre Bücher voll davon sind. Wahr-

scheinlich gibt es seit Menschheitsbeginn keine Methode der Überzeugung, die so oft praktiziert wurde
und sich so oft als wirkungslos erwiesen hat, aber das
beunruhigt sie nicht. Solange die Partei damit zufrieden
ist, sind sie es auch, in gewissem Sinne sind sie selbst die
Partei. Mit ihren Mitteln betreiben sie Planerfüllung.
Die Furcht, daß Literatur verloren sein könnte, wenn
sie sich Aufgaben zuweisen läßt, kennen sie nicht.

In der Frühzeit des sozialistischen Realismus wurde
von Stalin die einfältige Definition gefunden, Schriftsteller seien Ingenieure der menschlichen Seele. Als sei
die menschliche Seele ein Maschinchen mit Schrauben,
an denen nur gedreht zu werden braucht, damit der
Motor rundläuft. Die Autoren, von denen die Rede ist,
halten sich für solche Ingenieure. Leser sind in ihren
Augen Leute, deren Weltbild davon abhängt, welchem
Autor sie zufällig in die Hände fallen. Und da sie ihr
eigenes Weltbild für vortrefflich halten, möchten *sie*
dieser Autor sein. Daß der Zensor ihnen die Kund-
schaft zutreibt, indem er wichtige Konkurrenten vom
Markt fernhält, ist ihnen willkommen. Dabei legen sie
großen Wert darauf, für kritisch gehalten zu werden: In
jedem ihrer Bücher findet sich ein sogenanntes heißes
Eisen. Heiße Eisen stehen hoch im Kurs, kein Roman
ohne simulierte Meinungsverschiedenheit. Die Fähigkeit, Bewegung dort vorzutäuschen, wo Stillstand
herrscht, gilt für kunstfertig.

In einer Umgebung, in der ein Teil der Literatur verboten ist, stehen alle erlaubten Bücher in einem schiefen
Licht. Die Zahl der Verbote mag noch so gering sein –

jedes nichtverbotene Buch muß mit dem Verdacht leben, dem Zensor nach dem Mund geschrieben zu sein. Auch diejenigen Autoren haben diesen Verdacht zu ertragen, die nur ihren eigenen Intentionen folgen und sich um Zensur nicht kümmern. Allerdings ist diese Konstellation selten. Dort, wo Zensur ist, stehen wahrscheinlich sämtliche Bücher unter dem Einfluß des Zensors, die indizierten ebenso wie die erlaubten. Es wäre ein Irrtum zu glauben, daß die Genehmigungsbehörde gern verbietet. Am liebsten ist es ihr, wenn sie nichts zu tun hat, wenn sie Daumen drehen kann, wenn nur solche Texte ihr vorgelegt werden, an denen es nichts zu beanstanden gibt. Ihre wichtigste Wirkung besteht nicht darin, daß im Jahr – sagen wir – vier Bücher nicht erscheinen dürfen, sondern daß fünfzig Bücher gar nicht erst geschrieben werden. Das müssen nicht gleich komplette Bücher sein, es kann sich um Kapitel handeln, um Sätze, um die besseren Hälften von Gedanken. An nahezu jedem erschienenen Buch, behaupte ich, hat die Zensur ihren Anteil.

Ich habe zu dieser Sache nicht nur ein theoretisches Verhältnis, ich bin vom Fach. Ich selbst habe erlaubte Bücher geschrieben. Damals wäre ich über eine Unterstellung, das Vorhandensein der Zensur hätte mich beim Schreiben beeinflußt, empört gewesen, doch so sicher bin ich mir heute nicht mehr. Ich hatte schließlich mit der Tatsache fertigzuwerden, daß jeder einzelne Satz dem Zensor entweder genehm oder nicht genehm ist. Wahrscheinlich habe ich nichts in der Absicht geschrieben, ihm zu gefallen, aber was weiß ich denn? Wären nicht Auseinandersetzungen nötig gewesen, denen ich ausgewichen bin? (Ich meine – in meinen Büchern?) Kann ich mit Sicherheit sagen, daß mir nie der Gedanke kam: Lohnt sich das denn wegen einer solchen Kleinigkeit? Dabei ist mir doch klar, daß es in Büchern nichts Wichtigeres gibt als Kleinigkeiten. Habe ich nie, mich als Taktiker fühlend, auf Schärfe verzichtet und mir damit Unschärfe eingehandelt?

Ich weiß es nicht genau, vielleicht wollte ich es nie wissen. Diese Entscheidungen haben sich vorwiegend im sogenannten Unterbewußtsein abgespielt. Da Schreiben aber für den Autor auch bedeuten sollte, Kontrolle über seine Motive zu gewinnen, also zu größtmöglicher Bewußtheit zu gelangen, handelt es sich um eine Fehlleistung. Auf die Dauer ist es kein Trost, wenn ich zu meiner Entschuldigung vorbringen kann, daß der Zensor Mitschuld trägt. Wo immer die Verantwortung liegt: Die Situation hat mich zu einem schlechteren Schriftsteller werden lassen, als es nötig gewesen wäre.

Daneben habe ich natürlich auch Verbotenes geschrieben, wie es sich gehört. Es gefällt mir heute nicht mehr, es kommt mir zu aufgeregt vor, so als sähe man den Sätzen an, daß ihr Autor Schaum vor dem Mund hatte. Vielleicht hatte ich schon beim Schreiben ein schlechtes Gefühl. Vielleicht habe ich es unterdrückt, indem ich dachte: Es muß sein. Tapferkeit wird allgemein für eine lobenswerte Eigenschaft gehalten, und kein Wort gegen Tapferkeit, aber es ist anstrengend, mutig zu sein. Es verbraucht eine Kapazität, die beim Schreiben an anderer Stelle dringend gebraucht wird. Schriftsteller sollten nicht tapfer sein müssen. Sich gegen den Zensor zu stemmen, geht nur mit aller Kraft, und das gibt den Texten wohl etwas Rabiates, Lautes.

Von Johannes R. Becher stammt der Satz, das Gegenteil eines Fehlers sei ein Fehler. Als DDR-Autor ist man ständig in Gefahr, ihn zu begehen; denn es ist ja unmöglich, die Zensur zu ignorieren, man muß sich zu ihr verhalten, so oder so, und damit beginnt ein Verhängnis. Irgendwann hat der Zensor es geschafft, daß dein Widerspruch entweder erloschen ist oder daß du – im positiven Fall – bis zum Rand voll davon bist. Du kannst an nichts anderes mehr denken, du willst deine Überzeugung verbreiten, du suchst nach einer Geschichte, der du diese Überzeugung auf den Rücken binden kannst. Sie wird dir unter der Last zusammenbrechen, auf der ganzen Welt sind die Bücherregale voll von solchen zusammengebrochenen Geschichten, aber du versuchst es trotzdem. Du kannst nicht anders. Du hast vergessen, daß Bücher etwas anderes sind als Vehikel, um Ansichten darauf zu transportieren. Manchmal fällt es dir wieder ein, dann hältst du dich zurück, und wenn du Glück hast, entstehen ein paar hübsche Seiten. Aber eigentlich bist du dabei ungeduldig, es drängt dich, bald wieder auf das Eigentliche zu kommen, auf dein Fanal.

Zu keiner Zeit ist ein Mensch so wenig souverän wie dann, wenn er das tut, was er tun muß. Auf unser Problem bezogen: Das Drängende ist ja nicht unbedingt das Bezaubernde, das Wichtige nicht unbedingt das Verführerische. Zu oft fühlt sich der Autor, den ja auch die Verantwortung drückt, den Notwendigkeiten verpflichtet. Täte er es nicht, würde er sich allzu leicht-

fertig vorkommen, doch so ist er in Gefahr, mit der
Leichtfertigkeit auch seine Leichtigkeit zu verlieren.

In einer Statistik, die Brandstifter nach Berufsgruppen
erfaßte, sah ich einmal, daß die Feuerwehrleute am häu-
figsten vertreten waren. Obwohl ich noch nie einen
Gedanken daran verwendet hatte, kam mir die Sache
sofort einleuchtend vor. Das Beispiel fällt mir ein,
wenn ich über das Verhältnis zwischen dem Zensor und
den unbotmäßigen Ideen nachdenke. Niemand ist
mehr verantwortlich als der Zensor für das Maß an
Zorn und Verdrossenheit, an Erregung und Geschrei in
den Büchern. Die Zensur drückt nicht nur die Literatur
darnieder, sie ist zugleich der größte Produzent dessen,
was zu verhindern sie angetreten ist. Wir wollen doch
annehmen, daß sie nach dieser Erklärung, in ihrem
wohlverstandenen eigenen Interesse, sich auflöst.

2. Vorlesung

Nachdem bisher von der Rolle der Literatur in der DDR, von ihrem Selbstverständnis, von ihrer spezifischen Wirkungsweise und von ihren Beschwernissen die Rede gewesen ist, soll nun über die Literaturverhältnisse in der Bundesrepublik gesprochen werden. Dabei muß ich eine gewisse Hemmung überwinden, genauer gesagt – es fällt mir schwer, die Art meiner Teilnahme an diesen Verhältnissen zu definieren. Ich lebe seit geschlagenen zwölf Jahren hier im Westen und bringe immer noch kein Gefühl der Zugehörigkeit zustande. Es wäre niemandem zu verdenken, wenn er da die Geduld mit mir verlöre, ich selbst werde ja ungeduldig. Immer noch komme ich mir wie ein Besucher vor, wie der Zuschauer eines Stücks, der passagenweise durchaus gepackt ist und mitgeht, der aber, wenn sein Interesse sich erschöpfen sollte, jederzeit aufstehen, sich den Mantel holen und das Theater verlassen kann. Andererseits weiß ich aber, daß es nicht mehr viele Möglichkeiten gibt, die ich dann noch hätte.

Mit einem Wort – wenn ich über bundesdeutsche Angelegenheiten spreche, und literarische Angelegenheiten sind schließlich Teil davon, dann habe ich schnell den Geruch des Eindringlings an mir, der sich in die Geschäfte fremder Leute mischt. Ich glaube nicht, daß es sich bei dieser Einschätzung nur um einen Ausdruck meiner Überempfindlichkeit handelt. Noch heute, nach den erwähnten zwölf Jahren, spüre ich deutlich, welch ein Verhalten von mir erwartet wird und welch ein Verhalten Befremden auslöst. Wenn ich zum Bei-

spiel Grund sehe, mich über Vorgänge in der DDR auf-
zuregen, entspreche ich der Erwartung, und bestimmt
wird mir ein Mikrophon hingehalten; wenn ich über
hiesige Zustände herziehen will, wird es gewöhnlich
eingepackt. Nie hat mir jemand gesagt, warum das so
ist, stets wurde erwartet, daß ich genug Feingefühl
habe, um selbst dahinterzukommen: Nur Rohlingen
muß man alles erklären. Wenn ich die Blicke, die mich
dann treffen, wenn ich die Unlust, die ich dann verursa-
che, in Worte kleiden müßte, würden die lauten: Rede
du gefälligst zu dem Thema, für das wir dich geholt
haben. Wenn wir deinen Rat brauchen, wirst du es früh
genug erfahren.

Mit dieser Darstellung will ich nichts weniger als
Klage führen. Ich bedaure die Situation nicht, ich
möchte nur ins Bewußtsein rufen, daß es sie gibt. Ein
Zustand nur begrenzter Zugehörigkeit ist ohnehin
nicht der schlechteste, für Schriftsteller schon gar nicht.
Man ist nicht von Verpflichtungen umzingelt, die
einem fortwährend Rücksichtnahme abverlangen, es
lauern auf einen nicht allenthalben die Fußangeln der
Loyalität, man muß nicht pausenlos den oft quälenden
Regeln der Mitgliedschaft genügen.

Das Problem besteht, wie gesagt, nur darin, daß Meinungsäußerung leicht für pure Einmischung gehalten
wird. Wie also sich legitimieren? Manchmal hat man
Glück, und es fragt keiner. Viele von Ihnen haben es
bestimmt schon erlebt: Man kommt in die Fremde,
man überschreitet eine Grenze, und verblüffender-
weise ist niemand da, der sich nach Paß oder zu verzol-
lenden Gegenständen erkundigt. Man rutscht durch,

das ist eine außerordentliche Annehmlichkeit. Der Gerechtigkeit halber muß ich erwähnen, daß in ihren Genuß nur der kommen kann, der sich in derselben Richtung bewegt, wie ich es getan habe, von Ost nach West. Der Reisende in Richtung Osten kann seinen Kopf darauf wetten, daß die Kontrolleure ihn nicht übersehen. Doch trotzdem: Wie sich legitimieren? Man könnte sagen, man nehme eine Art Ausländerwahlrecht in Anspruch, das zwar nicht unumstritten, aber doch im Gespräch ist; oder man könnte sich auf Ihr freundliches Grundgesetz berufen, das meinesgleichen ohne viel Umstände zu unseresgleichen erklärt. Am überzeugendsten aber ist es wohl, darauf zu verweisen, daß Schriftsteller seit jeher ohne Legitimation auskommen mußten, zum Glück auch, denn die genehmigte oder gar lizenzierte Meinungsäußerung hat etwas Suspektes. Der Zusammenhang von Lizenzieren und Zensieren ist, zwar nicht etymologisch, aber doch im praktischen Gebrauch, offenkundig. Wie angemessen und bedenkenswert Ansichten sind, muß allein vom Adressaten entschieden werden, und womit ein Autor anderen unter die Augen treten will, allein von diesem Autor.

Es klingt vielleicht herausfordernd, wenn ich sage, daß es sich hierzulande bei Literatur in erster Linie um einen Wirtschaftszweig handelt, doch wird damit keineswegs der Vorwurf der Minderwertigkeit erhoben. Wie käme ich auch dazu zu behaupten, daß Produzenten, die auf Umsatz achten und sich nach den Gesetzen des Marktes richten müssen, zu geringeren Leistungen fähig wären als solche, die sich darum nicht kümmern?

Keinem Menschen fiele es ein, hinter der Produktion
etwa von Mercedes-Autos philantropische Motive zu
vermuten, und doch sind diese Autos all den Autos
überlegen, die in weniger marktorientierten Gegenden
hergestellt werden. Natürlich taugt das Beispiel nur
wenig, denn die Merkmale, die aus einem Kraftfahrzeug ein gutes Kraftfahrzeug machen, sind unvergleichlich klarer als bei Büchern. Wodurch wird Literatur gute Literatur?

Ein Hersteller von Seife handelt logisch und sachge-
recht, wenn er vor Beginn der Produktion ein paar Er-
kundigungen einholt: Was für einen Duft mögen die
Leute, welche Farbe ist gerade beliebt, wirkt starke
Schaumbildung verkaufshemmend, wie aufwendig
muß Verpackung sein. Hat ein Schriftsteller, bevor er
sich an ein Buch setzt, auf ähnliche Weise Marktfor-
schung zu betreiben? Man kann tausendmal mit *Nein*
darauf antworten, Sie wissen so gut wie ich, daß genau
so verfahren wird: daß ein Großteil der heute geschriebenen Bücher nach genau dieser Methode entsteht. Ist
es am Ende ein unzeitgemäßes Sich-Entrüsten, eine Art
Maschinenstürmerei, wenn man solche Produktions-
weise für anrüchig hält?

Vor fast vierhundert Jahren hat der spanische Dichter
Lope de Vega erklärt, der Zweck von Literatur sei es zu
gefallen. Er verlangt von Autoren also genau das, wor-
über ich gerade die Nase rümpfe: die Erforschung des
gerade Gängigen und sodann dessen Vermehrung.
Nicht auszudenken, wenn er recht hätte. Dann wäre
die wichtigste literarische Tugend die Liebedienerei,
dann wäre die bedeutendste Literatur die gefälligste;

dann wäre Hölderlin ein Nichts und die Courths-Mah-
ler ein Alles und Arno Schmidt ein Herr Niemand und
Kirst ein Gigant.

Ich glaube nicht, daß sich die Frage beantworten läßt,
welchen Zweck Literatur hat. Sie kann zwecklos sein,
ebenso kann sie tausend Zwecke haben, die von der
Situation des Autors abhängen, von seinen Wünschen,
seiner Not, seinen Überzeugungen, seinen Gelüsten.
Der einzige Zweck, den sie *nicht* haben sollte, ist der
von Lope de Vega genannte: die Anbiederung. Sie wäre
sonst ein würdeloses Ding, ein Geschreibe, das nach
dem größten gemeinsamen Nenner sucht (das ist
immer die Belanglosigkeit) und im Zustand der Selbstaufgabe dahindämmert. Sie verlöre und verliert ja tatsächlich schon, was sie über die Jahrhunderte am Leben
erhalten und vor dem Vergessen bewahrt hat: das Visio-
näre, die Obsession ihrer Autoren. Damit ist aber nicht
die Forderung erhoben, Literatur habe erfolglos zu
sein.

Gemeint ist dagegen, daß der Blick auf den Erfolg
beim Entwerfen eines Buches nicht die Rolle spielen
darf, die er gewöhnlich spielt. Der Prozeß, einer
Umweltverschmutzung vergleichbar, kommt rasend
schnell voran: Bücher werden einander immer ähnlicher. Die zum Äußersten entschlossenen Autoren til-
gen darin all das, was man ihre Einzigartigkeit nennen
könnte, sie verlieren ein Unterscheidungsmerkmal
nach dem anderen. Ist es nicht so, daß mittlerweile das
Publikum sich im Grunde seine Bücher selbst schreibt
und wöchentlich, anhand der Bestsellerliste, nachprüft,
ob es seinen Geschmack getroffen hat?

Der Erfolg dagegen, der sich wie nebenher einstellt,
nicht unerwünscht, aber auch nicht herbeispekuliert,
ist ein anderes Ding. So wie nicht alle Literatur gelun-
gen ist, die verboten wird, ist nicht alle Literatur miß-
glückt, die Erfolg hat. Ein Autor folgt seinen Gesich-
ten, und es folgen ihm Leser nach: Er ist schließlich
kein Wesen aus einer anderen Welt: Es bewegt ihn
etwas, das andere auch bewegt, er leidet an etwas, das
vielleicht viele krank macht, er kommt mit einer Vorstellung von Sprache und Tonfall daher, die vielleicht
vielen imponiert. Ein solcher Erfolg ist nicht das Er-
gebnis kaufmännischen Vorgehens, er hat nichts Berechnendes, im Gegenteil: Immer wenn er sich einstellt, erlebt die Literatur einen glücklichen Tag.

Ich sage zwar, ein Autor sei schließlich kein Wesen
aus einer anderen Welt, aber das ist nicht ganz ehrlich.
Aus einer um ein wenig anderen Welt sollte er schon
kommen. Oder genauer: Wenn seine Sicht der vorhan-
denen Welt erhellend sein soll, dann muß er etwas beschreiben, das ohne seine Beschreibung unsichtbar
wäre. Mit gewöhnlichen Augen kommt er dabei nicht
aus. Literatur kann leicht zur Belästigung ausarten,
wenn ihre Quintessenz lautet: alles bestens.

Brecht hat im dänischen Exil einmal notiert: »... das
gesellschaftliche System kann nicht dargestellt werden,
ohne daß man ein anderes sieht.« Wenn man sich dieser
Ansicht anschließt – ich halte sie für zwingend –, muß
man zu dem Urteil kommen, daß in der bundesdeutschen Literatur die gegenwärtige Gesellschaft kaum
oder gar nicht dargestellt wird. Hin und wieder rafft ein
Autor sich zu Mäkelei auf, doch meist darauf bedacht,

das allgemeinste Einverständnis nicht zu gefährden. Es herrscht ein Gesetz, das nach meiner Beobachtung von Jahr zu Jahr strikter zur Geltung kommt: Widerspruch wird bestraft, Anpassung belohnt. Es ist dies das Grundgesetz der massenweisen Produktion von Opportunismus. Um einen Erwerbszweig wie die Literatur macht es keinen Bogen, nur wird seine Wirkung dort auf besonders penetrante Weise deutlich. Autoren müssen sich hüten, sich zu versteigen, ungeachtet der Tatsache, daß dieses Sich-hüten-Müssen eine Art Schriftstellertod ist. Vielleicht haben wir es hier mit einer Folge des Radikalen-Erlasses zu tun, der ja nicht nur bewirkt, daß die Öffentlichkeit vor ein paar – wie es heißt – Extremisten bewahrt wird, sondern daß alle sich mäßigen. Und nebenher auch mittelmäßigen. Wenn eine Gesellschaft sich aber ihrer Regeln und ihres Lebensgefühls so sicher geworden ist, daß Zweifellosigkeit zur obersten Tugend wird, dann braucht sie keine Literatur, sondern höchstens etwas Unterhaltung. Und die hat sie.

Wie schon in der ersten Vorlesung, will ich auch diesmal einen Tischler für ein Beispiel heranziehen, um ein Schriftstellerproblem deutlich zu machen. Nehmen wir an, der Tischler hat einen Tisch hergestellt und ist mit seiner Arbeit fertig. Was macht er als nächstes? Einen Tisch. Warum? – Dumme Frage wird man sagen, er ist Tischler, das genügt als Grund. Was sollte er sonst machen? Nehmen wir nun an, ein Schriftsteller hat die Arbeit an einem Buch beendet. Was macht er als nächstes? Er schreibt ein Buch. Warum? Weil er Schriftsteller ist?

Es ist natürlich leicht zu sagen, das wäre anrüchig, der Schriftsteller brauche ein schöneres Motiv. Ich behaupte, daß der Buchmarkt überschwemmt ist von Büchern, die aus keinem anderen Grund geschrieben wurden als aus diesem; von Büchern, die einer gewissen Fingerfertigkeit entspringen und die niemand zu vermissen brauchte, wenn es sie nicht gäbe; von Büchern, die vor allem für eines Sorge tragen sollen: daß der Schornstein raucht. Geht es Ihnen nicht auch so, daß Sie häufig, wenn Sie einen Buchladen betreten, das Gefühl haben, umzingelt zu sein von Überflüssigem?

Man könnte einwenden, daß es nun einmal in der Literaturbranche soundso viele Arbeitsplätze gibt, die sollten doch erhalten werden, außer man hätte einen Sozialplan oder sonstige Vorschläge, wohin mit den Betroffenen. Ich müßte dann zugeben, daß ich keine Lösung parat hätte. Ich könnte nur sagen, daß es viele Erwerbsquellen gibt, die ich gern verstopft sähe, die Herstellung von Umweltgiften oder von Waffen etwa. Es läßt sich ja nicht jede Produktion mit dem Argument rechtfertigen, daß damit ein Einkommen verbunden ist.

Allerdings wäre es ungerecht, die Schuld an diesem Zustand allein den Schriftstellern anzukreiden. Sicher, auf jedem Buchumschlag steht ein Autorenname wie ein Geständnis, doch es steht dort ein noch größerer Name, der eines Verlages. Das Geschäft mit Büchern bringt es auf horrende Umsätze, und wie in jedem anderen Wirtschaftszweig wird auch dort allerhand getan, um Umsatzhemmnisse zu beseitigen. Es wäre naiv zu glauben, in der freien Marktwirtschaft gäbe es eine

Enklave der moralischen Ansprüche und des altruisti-
schen Handelns. Ein Buch hängt sich an ein erfolgrei-
ches vorangegangenes an? Her damit! Ein Buch wird
auf Zurückhaltung stoßen, weil sein Autor kompro-
mißlos kompliziert ist? Weg damit! Ein Buch ist zwar
gedankenleer, doch auf eine Weise, wie man es gerade
mag? Auf den Markt damit! Jeder Verleger wird Ihnen
auf solche Vorhaltungen antworten: »Wenn es nach mir
ginge, mein Lieber, sähe die Sache anders aus. Aber wer
hätte etwas davon, wenn gerade ich unterginge?«

Schriftsteller werden so zu einer Größe zweiter Ordnung, es kommt auf sie immer weniger an. Ihre Produkte
werden zu Eintagsfliegen, die nur so lange existieren,
bis die Nachfrage sich erschöpft; günstigstenfalls
schenkt man ihnen noch ein zweites kurzes Taschen-
buchleben, dann ist es endgültig um sie geschehen. Der
Schriftsteller ist kaum mehr wert als sein letztes Buch:
Hat das Erfolg, gilt er als erfolgreich, fällt das durch,
muß er von vorn anfangen. Nur um einige wenige
Autoren herum macht diese Regel einen Bogen, um
Heroen aus der Goldgräberzeit der bundesdeutschen
Literatur wie Graß, Frisch, Lenz, die als eine Art Mar-
kenartikel auf dem Markt durchgesetzt sind. Auch sie
sind vor Rückschlägen nicht sicher, doch haben sie im
Unterschied zu anderen Schilde wie *Blechtrommel,
Stiller* und *Deutschstunde* zur Hand, mit denen sie die
schlimmsten Gefahren abwehren können. Die meisten
aber führen eine höchst unsichere Existenz, jeden Augenblick kann sich alles ändern. Schriftstellerei ist ja
nicht nur eine durchgeistigte Angelegenheit, sondern
für viele, wie schon gesagt, ein Mittel zum Lebensun-

terhalt. Dieser Aspekt gewinnt im Laufe eines Autorenlebens oft überragende Bedeutung. Mancher meint
daher, unterhalb seiner Möglichkeiten schreiben zu
müssen, fernab von seinen ›eigentlichen‹ Ambitionen,
um auf dem Markt nicht unterzugehen. Ob es sich dabei nicht immer um Selbsttäuschung handelt, ist eine
zweite Frage; daß wir es aber mit massenhafter Anpassung zu tun haben, sollte nicht bestritten werden.

Die pauschale Denunzierung der Verlage ist eine Ungerechtigkeit, kein Zweifel. Es gibt schon noch Verlage,
die sich um die nicht leicht verkäuflichen Bücher kümmern, manche aus aufrichtigem Interesse, manche aus
einer mäzenatischen Haltung heraus, andere aus Mangel an genügend verkäuflichen Büchern, andere aus
Gründen des Verlagsrenommees. Doch sie bilden eine
Minderheit, sie stemmen sich, oft mit schwindender
Kraft, gegen eine Entwicklung, die nicht zu übersehen
ist. Auf breiter Verlegerfront setzt sich die Überzeugung durch, daß gut ist, was ankommt – die Nagelprobe ist der Erfolg. Und die wenigen, die nicht so verfahren, werden für weltfremd gehalten oder schlicht für
unfähig. Verleger sind Unternehmer, Unternehmerfähigkeit wird als Begabung definiert, sich auf dem Markt
zu behaupten, insofern ist diese Einschätzung ja auch
nicht ganz falsch.

Niemand sollte einem Verlag das Recht bestreiten,
Manuskripte nach eigenem Gutdünken zu akzeptieren
oder abzulehnen. Gerade darin sehe ich einen wesentlichen Vorzug der hiesigen Literatursituation gegenüber
der in der DDR: daß es verschiedene Verlage gibt. Daß
ein Schriftsteller, wenn der eine Verlag seinen Text ab-

gewiesen hat, zu einem anderen gehen kann. In der DDR steht ihm dieser Weg natürlich auch frei, theoretisch; in der Praxis hätte er wenig Sinn, denn die Verlagschefs haben einen Verlagsüberchef, alle denselben, ohne dessen Zustimmung jede Entscheidung nur provisorisch ist, wir wissen es: den Zensor. Seine Oberhoheit läßt die Verlage auf zuverlässige Weise ähnlich sein, degradiert sie zu Filialen ein und desselben Unternehmens. Die Verschiedenheit von Maßstäben aber ist Voraussetzung für die geistige Beweglichkeit einer Literatur und der Gesellschaft überhaupt, auch wenn dem einen und anderen die einen und anderen Maßstäbe absurd vorkommen. Eine höchste Autorität in Sachen Richtigkeit hat Denkgrenzen zur Folge, die schnell erreicht sind. An den Grenzen Befestigungsanlagen, die den potentiellen Störer schrecken sollen; das ist im Katholizismus nicht anders als im Islam und im sozialistischen Realismus, wenn sich auch die dem Grenzverletzer drohenden Sanktionen unterscheiden.

Wir im Westen sind vor solchen Gefahren geschützt – nehmen Sie mir das freche Wort ›wir‹ nicht übel. Bei uns ist die Verschiedenheit der Maßstäbe selbstverständlich, die Argumente schwirren nur so von überall her nach überall hin. Gerade Ungeordnetheit und Zwanglosigkeit sind es, die unser kulturelles Leben so anziehend machen und damit das *ganze* Leben. Jeder Versuch einer Einengung würde empört zurückgewiesen, denn die Vielfalt ist uns Bedürfnis und nicht ein Luxus, den man sich leistet. Wir haben erkannt, daß oft aus dem Kleinen und auf den ersten Blick Unscheinbaren die Anregung kommt, die uns vor Stillstand bewahrt, darum achten wir auf ein Klima, darin es nicht untergeht. Wir sind nicht so töricht zu glauben, alles Denkenswerte sei schon gedacht. Wie willkommen uns der materielle Wohlstand ist, wir wissen auch geistigen Wohlstand zu schätzen, ja, er stellt den kostbarsten Teil unseres Besitzes dar.

Sie merken – ich übertreibe ein wenig.

Eine Behauptung, die darauf hinaus wollte, die bundesdeutsche Literatur leide unter der Knute der Zensur, wäre offenkundig absurd. Es gibt keine Behörde, die die schwere Arbeit durchführen könnte, es fehlt die ideologische Fixiertheit des Staates, ohne die Zensur richtungslos bleiben müßte, es fehlen Rechtsvorschriften – oder genauer, es *existieren* Rechtsvorschriften. Es fehlt auch ein wesentliches Motiv: Nur solche Staaten, die sich von einer großen Zahl ihrer Bürger in Frage gestellt fühlen, also an faktischem oder eingebildetem Legitimierungsmangel leiden, verfallen auf Zensur. Ich meine, daß die bekanntgewordenen Fälle, da Texte wegen Verstoßes gegen Paragraphen (Gotteslästerung, Staatsschutz, Pornographie) verboten wurden, als Beleg für die Existenz von Zensur nicht ausreichen. Möglicherweise verbergen sich hinter einigen der Urteile die Intentionen zensurwütiger Richter, die die entsprechenden Verbotsgesetze gleichsam an den Haaren herbeiziehen, um ihre Vorstellung von Zucht und Ordnung durchzusetzen. Falls es aber so ist, müssen diese Richter ihre wahren Absichten verbergen, das sogenannte geltende Recht zwingt sie dazu.

Nun kann es Entwicklungen geben, die zwar nicht die institutionalisierte Zensur zur Folge haben, deren

Effekt aber der Wirkung von Zensur nahekommt. Ich sprach davon, daß die Gründe, die Verlage zur Annahme von Manuskripten bewegen, einander immer ähnlicher werden. Und damit auch die Verlage selbst. Da es ihnen verwehrt ist, Geld auf direktem Wege zu drucken, suchen sie nach Methoden, den Umweg möglichst kurz zu halten. Aus der Literatur, die sich einmal in Konkurrenz zur Vergnügungsindustrie befunden hat, wird so immer mehr ein Teil eben der Vergnügungsindustrie. Es ist fast ein Naturgesetz, daß sich auf dem Markt das Marktschreierische am besten behauptet. Die Schüchternen werden übersehen, die Zaghaften, all die, bei denen ohne Mühe und Geduld und Bereitschaft nichts zu holen ist. In seinen *Minima Moralia* schrieb Adorno: »Man wird als Schriftsteller die Erfahrung machen, daß, je präziser, gewissenhafter, sachlich angemessener man sich ausdrückt, das literarische Resultat für um so schwerer verständlich gilt . . .« Und einige Zeilen später, mit Blick auf die Leserschaft: »Nur was sie nicht erst zu verstehen brauchen, gilt ihnen für verständlich . . .«

Es klingt, als wäre damit eine Grundregel des zeitgenössischen Literaturbetriebs niedergeschrieben. Die meisten Bücher müssen sich durch das Nadelöhr einer günstigen Verkaufsprognose zwängen, um existieren zu dürfen. Dabei geht ihnen Unbestechlichkeit verloren, an deren Stelle tritt etwas Gekünsteltes und Berechnendes, etwas Dreistes und Beifallsüchtiges. Selbst Bescheidenheit gerät so in Verdacht, ein Spekulationsobjekt zu sein. Es macht sich ein Mißtrauen breit, das überall Fälschung wittert und Vergnügen selbst dort nicht aufkommen läßt, wo man sich getrost vergnügen könnte. Das geschieht nicht über Nacht, nicht wie auf Knopfdruck. Der Prozeß findet schleichend statt, und da er den meisten Beteiligten peinlich ist, Verlegern wie Autoren, wird viel dafür getan, ihn zu kaschieren. Es sind aber solchen Bemühungen Grenzen gesetzt. Während etwa die heutigen Bäcker unverfroren behaupten können, die Qualität ihrer Brötchen sei besser als je zuvor – denn kein Mensch hat mehr ein Brötchen aus der guten alten Brötchenzeit zum Vergleichen –, müssen die Produzenten von Büchern vorsichtiger sein. Nicht nur, daß Vergleichsstücke noch reichlich zur Verfügung stehen – es wäre auch wenig sinnvoll, ein neues Buch für Eigenschaften wie Tiefgründigkeit, Sprachgenauigkeit oder Ernsthaftigkeit zu preisen, wenn man andererseits doch weiß, daß gerade das Fehlen solcher Eigenschaften die Marktchancen verbessert.

Trotz allem, nichts liegt mir ferner, als zu behaupten, Verlage drängten die Autoren und damit die Literatur aus Schlechtigkeit den Berg hinunter. Sie sind selbst Gedrängte, sie sind das Spiegelbild einer Entwicklung, die in der Gesellschaft rings um sie seit langem stattfindet. Sie ordnen sich den veränderten Erwartungen an Bücher und einem Geschmack unter, die mit ihrem oder ohne ihr Zutun entstanden sind, jedenfalls existieren. Sie tragen den Bedürfnissen eines veroberflächlichten Publikums Rechnung, das an gesellschaftlichen Fragestellungen desinteressiert ist, das für die beste aller Welten die hält, in der es am ungestörtesten verdienen und verbrauchen kann, und das sich im übrigen so von Problemen umstellt sieht, daß es nicht auch noch in der

Kunst damit belästigt werden möchte. In der freien Marktwirtschaft ist ein Buch ein Produkt wie jedes andere, es unterliegt keinen besonderen ethischen Regelungen. Die Ware hat möglichst profitabel zu sein, ob sie nun Leberwurst oder Panzerfaust oder Buch heißt. Sobald die Herstellung nicht mehr lohnt, wird sie um- oder eingestellt, und darüber zu klagen wäre Lyrik. Es mag sein, daß einzelne Produzenten sich Illusionen machen und ihre Erzeugnisse mit verklärtem Blick sehen; sie gefährden damit höchstens ihre eigene Marktposition, ohne an der Sache etwas zu ändern.

Ich sagte es schon einmal: Nach meiner Überzeugung war eine wichtige Voraussetzung fürs Schreiben seit jeher das Bedürfnis nach Parteinahme, wie ich in diesem Bedürfnis auch ein wesentliches Motiv fürs Lesen sehe. Daher hat wohl erzählende Literatur immer dann eine gute Zeit, wenn gesellschaftliche Auseinandersetzungen stattfinden oder bevorstehen, wenn große Veränderungen sich ankündigen. Die ersten dreißig Jahre unseres Jahrhunderts waren so eine Zeit oder jene Jahrzehnte, die später ›die Aufklärung‹ genannt wurden. Die Menschen sind dann neugierig, wach, erwartungsvoll, Schriftsteller ebenso wie Leser, und es ist vielen ein Bedürfnis, den Aufregungen ihrer Zeit in Büchern wieder zu begegnen. Es macht froh mitzuerleben, wie das Unrecht zurückgedrängt wird, es empört zu sehen, wie es sich durchsetzt, man glüht vor Interesse zu erfahren, wie andere sich im Angesicht von Bedrohungen verhalten, denen man selbst ausgesetzt ist.

Dieses Interesse beflügelt die Schriftsteller, dieses

Gefühl, nicht um Aufmerksamkeit buhlen zu müssen,
sondern willkommen zu sein. Natürlich kann man dem
entgegenhalten: ›Mit Jammern wirst du kein Interesse
erobern – verdien es dir doch.‹ Aber gerade das meine ich
ja: daß die Bereitschaft für Literatur damals nicht an
Bedingungen geknüpft war, daß es sie gab wie einen
Bestandteil der Atmosphäre, daß sie nicht Buch für
Buch neu erkämpft zu werden brauchte. Wenn von Büchern viel erwartet wird, entfaltet sich darin eine Erzähl-
pracht, wie sie nicht aus dem puren Nachdenken, allein
aus der Begabung eines Autors entstehen kann. Ich habe
den Eindruck, daß ein guter Teil der südamerikanischen
Literatur auf diese Weise inspiriert ist, auch heute.

Das ständige Kämpfenmüssen um Aufmerksamkeit
dagegen ermattet die Autoren. Es kostet sie mehr von
ihrer Kraft, als sie bei ihrer eigentlichen Arbeit entbehren können, vielleicht das alles entscheidende Quantum. Aber sie haben keine Wahl, sie müssen ihre Bücher
in Feindesland unterbringen, wo die Türen verschlos-
sen und die Jalousien heruntergelassen sind. Es ist elend
schwer, mit jemandem in Beziehung zu treten, der
nichts von einem wissen will. Sie kennen das Los von
Vertretern, die müde an fremden Häusern klingeln,
durchs Guckloch feindselig beäugt werden, denen
durch den Türspalt, bei vorgehängter Kette, gesagt
wird, daß man nichts braucht, die dann mit munterer
Stimme und forschen Sprüchen beweisen müssen, daß
es lohnt, mit ihnen in Verbindung zu treten; und das in
Sekunden, weil sonst die Tür wieder zu ist. Der Tonfall
dieser geplagten Menschen wird zunehmend zum Tonfall unserer Literatur.

Es herrscht ein allgemeines, unbändiges Desinteresse an öffentlichen Angelegenheiten, nicht nur an Literatur, sondern an allen Vorgängen jenseits des Tellerrands. Die zunehmende Belästigung durch die Wirklichkeit, gepaart mit dem Gefühl von Ohnmacht, führt bei den meisten zu einer tiefen Unlust, sich auch noch zusätzlich und freiwillig damit zu beschäftigen, an einem Ort gar, der sinnigerweise *die eigenen vier Wände* heißt. Wenn Schriftsteller dieser Unlust Rechnung tragen (und die meisten tun das nicht nur aus kaufmännischer Berechnung, sondern weil sie Wesen dieser Zeit sind und dieselbe Unlust spüren), geht ihnen eines der wichtigsten Themen verloren, das Literatur je hatte, wenn nicht das größte: das Toben der gesellschaftlichen Verhältnisse und Mißverhältnisse. Wohlgemerkt – Bücher *müssen* sich nicht darum kümmern, es hat immer wieder wunderbare Beispiele gegeben, darin von anderen Verhältnissen als den gesellschaftlichen die Rede war. So viele aber auch wieder nicht. Und wenn Literatur nahezu vollständig darauf verzichtet, wird sie notgedrungen harmlos und bieder.

Einmal war ich Zeuge, wie einem Autor im Anschluß an eine Lesung vorgehalten wurde, er lasse in seinen Geschichten die wirklichen Sorgen der Leser links liegen, seine Bücher hätten, wie der Fachausdruck in solchen Fällen lautet, keine gesellschaftliche Relevanz. Der Autor verteidigte sich ungefähr folgendermaßen: »Warum verlangt ihr, daß ich über etwas schreibe, dessen ihr im Grunde überdrüssig seid? Wenn die Bücher wären, wie ihr sie euch so scheinheilig wünscht«, sagte

er, »würdet ihr euch bedanken. Es ist vollkommen mü-
ßig zu schreiben, daß die Regierung korrupt ist, denn
wem sage ich damit etwas Neues? Das Problem besteht
nicht darin, daß zu wenig Leute davon wissen, das Problem besteht darin, daß keiner sich dafür interessiert.
Ich könnte höchstens schreiben: Regt euch endlich darüber auf, daß die Regierung korrupt ist. Doch dafür
sind mir meine Bücher zu schade.«

Der Autor hatte, nach meiner Meinung, recht und
unrecht zugleich. Es stimmt, daß Aufrufe und Losun-
gen nicht eben eine Zierde für ein Buch sind und daß
schon manches Prosastück angesichts der ihm aufge-
pfropften Parolen seinen Geist aufgegeben hat. Und es
ist zweifellos wahr, daß Schriftsteller etwas Besseres zu
tun haben, als ihre Bücher mit allgemein Bekanntem
vollzuschreiben. Es muß aber die Frage gestellt werden: Was bedeutet *bekannt*?

Ich glaube, daß Bekanntschaften, die Literatur imstande ist zu vermitteln, von anderer Art sein können
als gewöhnliche Bekanntschaften. Sie müssen nicht den
flüchtigen Berührungen mit jemandem oder etwas glei-
chen, wie man sie täglich erlebt und schnell vergißt. Etwas durch Literatur Erfahrenes kann unvergleichlich
genau und intensiv sein, wie durch eine Geheimtür ins
eigene Leben getreten. Ich wage zu behaupten, daß,
wenn es um Genauigkeit von Kenntnissen und Tiefe
von Eindrücken geht, das eigene Erleben oft mit dem
Lesen nicht mithalten kann.

Als ich Kafkas *Schloß* gelesen hatte, wußte ich mehr
über das Wesen von Abhängigkeiten als je zuvor. Bei
Gontscharows *Oblomow* begriff ich plötzlich die Tra-

gik von Bindungslosigkeit. Bei der Lektüre von Arno
Schmidts *Steinernem Herz* erhielt ich zum erstenmal
eine Ahnung von der lebenserhaltenden Wirkung der
Neugier. Als ich *Das Kalkwerk* von Thomas Bernhard
las, wurde mir auf einmal das Unglück der Talentlosig-
keit bewußt, obwohl ich doch vorher weiß Gott genug
Gelegenheit dafür gehabt hätte. Und die Lektüre von
Fontanes *Effi Briest* ließ mich deutlich wie nie zuvor die
Macht von Konventionen erkennen, obwohl doch
kaum ein Tag in meinem Leben vergangen war, da ich
Konventionen nicht zu spüren gekriegt hatte.

   Der erwähnte Autor machte es sich etwas einfach, als
er sagte, es lohne nicht, das allgemein Bekannte auf die
allgemein bekannte Weise zu präsentieren. (Nebenbei
gesagt – genau das tut ja eine Literatur, die sich Stück
für Stück trivialisiert.) Die Forderung, Eulen nach
Athen zu tragen, ist so offenkundig töricht, daß man
ihr leicht begegnen kann. Was aber, wenn die Forderung lautet, dem Halbwissen die andere Hälfte, die
wichtigere, hinzuzufügen, das Ungefähre in ein Ge-
naues zu verwandeln? Aus dem halb Empfundenen ein
tief Empfundenes zu machen? Für ein diffuses Unbehagen die Quelle zu finden?

   Es mag vom Genie eines Autors abhängen, ob er ein
so turmhoch gestecktes Ziel erreichen kann – in den
meisten Fällen wird er es also verfehlen. Wenn aber der
Verein der bundesdeutschen Literatur gleichsam in
seine Satzungen aufnimmt, daß alle diesbezüglichen
Versuche zu unterbleiben haben, kann nur bitterste Ar-
mut die Folge sein. Vor etwa einem Jahr hat in New
York ein Kongreß stattgefunden, der sich mit der Frage

beschäftigte, warum von der deutschen Kultur – gemeint war vor allem die bundesdeutsche – seit Jahrzehnten keine Impulse mehr für die Weltkultur ausgehen. Sie sehen – es fällt schon auf.

Daß Sie mich nicht falsch verstehen – ich verachte den Schriftsteller durchaus nicht, der Buch um Buch produziert, um seinen Lebensunterhalt zu bestreiten, ohne Ambitionen, ohne Ehrgeiz, ohne Leidenschaft. Es ist eine harte Arbeit, sie verdient nicht weniger Respekt als die eines Zugschaffners oder Bauern. Sie sollte aber nicht in einem Glanze gesehen werden, der ihr nicht zusteht, nicht mit einer Verklärung, die einmal berechtigt gewesen sein mag, zu einer Zeit, als Literatur sich noch der Alphabetisierung verpflichtet fühlte und nicht, wie heute zunehmend, dazu diente, das sich ausbreitende Analphabetentum zu vermehren und zugleich zu verschleiern. Es ist eine dürftige Ausrede zu erklären, die Leser wollten es nicht anders, wir lebten in einer Gesellschaft ohne kulturelle Interessen, das Publikum wünsche nichts so sehr wie unterhalten zu werden, und darauf habe die Buchproduktion sich einzustellen. Das ist, glaube ich, keine grundlegend neue Situation. Neu aber ist, daß auch die meisten der Literaturerzeuger das kulturelle Interesse verloren haben, daß sie sich in ihren Büchern dieser Entwicklung nicht nur anpassen, sondern die allgemeine geistige Bedürfnislosigkeit repräsentieren.

Ich bin mir der Problematik bewußt, in einer intellek-
tuellenfeindlichen Umgebung wie der unseren die ein-
heimischen Schriftsteller zu denunzieren, eine Berufs-
gruppe, die es noch nie leicht hatte, sich zu behaupten,
deren Ansehen noch nie höher war als mäßig. Ist es
nicht heikel, habe ich mich gefragt, ausgerechnet diejenigen anzugreifen, die in der Vergangenheit immer
wieder ein beliebtes Ziel für Schmähungen waren, die
das einemal Volksschädlinge hießen, das anderemal
Nestbeschmutzer, dann Spinner, schließlich Ratten
und Schmeißfliegen.

Ja, es *ist* problematisch. Aber ich bitte, mir zu glauben, daß ich niemals einen Autor *dafür* angreifen
würde, daß er sich als Volksschädling, Nestbeschmutzer oder Schmeißfliege betätigt. Das Unglück kommt ja
gerade daher, daß die bundesdeutsche Literatur all die
Eigenschaften verliert, um derentwillen Literatur einmal reaktionären Politikern und dem gesunden Volks-
empfinden suspekt gewesen ist, um derentwillen Bücher einmal verbrannt wurden.

Volksschädlinge wie Brecht, Nestbeschmutzer wie
Arno Schmidt, Schmeißfliegen wie Böll leben noch als
literaturhistorische Merkwürdigkeiten fort, die auf
eine Weise, wie es heute kaum mehr verständlich
scheint, von ihren politischen und sprachlichen Angelegenheiten besessen waren. Ihre Nachfolger lösen den
Laden allmählich auf. Offenbar gibt es nichts mehr,
wofür es sich bis an den Rand der Existenz – und das
muß nicht der physische, es kann auch der geistige
Rand sein – einzusetzen lohnte: so scheinen sie eine
Grundüberzeugung dieser Gesellschaft widerzuspie-

geln. Sie bringen eine Literatur hervor, die von Einverständnis überquillt und in ihrer Freundlichkeit an Privatfernsehen erinnert.

Viele werden meinen, die Vorwürfe gehen zu weit, wahrscheinlich finde ich das selbst. Irgendwie funktioniert der Literaturbetrieb ja noch, es gibt schlimmere Bruchbuden, und die Beteiligten sind, wenn auch nicht hochzufrieden, so doch nicht unglücklich, warum kann man sie nicht in Ruhe lassen. Wie geschrieben wird, ist schließlich nicht nur eine Frage des Wollens, sondern auch dieser unergründlichen Fähigkeit, die Talent heißt. Es ist nicht in Ordnung, die Denkmäler der Literaturvergangenheit herbeizuholen und sich dann darüber zu beklagen, daß es solche nicht mehr gibt. All das trifft zu und ist für unsere Sache doch unerheblich.

Den Büchern fehlt zunehmend die Dimension Auflehnung. Kein nennenswerter Widerspruch, nichts von Aufruhr – Ruhe. Keine Maßlosigkeiten, keine Übertreibungen, dabei hat jedes Kind schon erfahren, daß nichts das Denken so in Bewegung bringt wie Übertreibung. Die Bücher starren vor Meinungslosigkeit. Ich habe ein Bonmot von Marcel Proust im Gedächtnis, das ungefähr lautet, Bücher, in denen die Meinungen der Autoren zu lesen seien, glichen Gegenständen, an denen noch die Preisschilder hingen. Selbst wenn das richtig sein sollte, darf es nicht mit der Forderung verwechselt werden, Ansichten aus den Büchern zu verbannen; eher ist doch wohl gemeint, Meinungen auf andere Weise in die Bücher hineinzuschaffen, als sie dort einfach niederzuschreiben. Und unverzichtbar ist der Literatur, daß *Leser* sich beim Lesen Meinungen bilden, *ihre* Meinungen, auf eine Weise, wie es ihnen ohne die Lektüre nicht möglich wäre.

Eine Ware, für die keine Nachfrage besteht, verschwindet allmählich aus dem Angebot, so will es der freie Markt. Es gibt nun mal keinen nennenswerten Bedarf an Auflehnung, Widerspruch und dergleichen, und jedes Handwerk, dessen Erzeugnisse keiner will, verkümmert. Man mag darin nichts Bedauernswertes sehen, eher ein Wirken der Gerechtigkeit. Was aber, wenn die ringsum herrschende Zufriedenheit ein Resultat von Bewußtseinsmangel wäre? Vielleicht ähnelt sie der Zufriedenheit Adams und Evas, die für einen Augenblick des Wohlbehagens alles Glück der Zukunft verspielten. Sie kennen die Geschichte? Vielleicht brauchen die Leser nichts so sehr wie das, was sie nicht wollen? Aber seltsam ist es schon: In dem einen Augenblick kommen mir alle Versuche, Einsichten zu fördern, sinnlos vor, im nächsten scheint mir alles davon abzuhängen.

Wenn einer nach Empörung ruft, und das in einer Umgebung, von der die meisten meinen, es gäbe darin nichts wahrhaft Empörendes, sollte er sich genauer erklären. Keine Angst, ich werde Sie nicht mit einer Liste von Empörungs-Vorschlägen langweilen, doch wie wäre es mit diesem einen: Die moderne, freiheitliche, demokratische Industriegesellschaft bringt uns um, nicht mehr und nicht weniger. Und zwar nicht allegorisch, sondern buchstäblich. Und nicht nur uns, in der näheren Umgebung, sondern alle: die Menschheit. Die Welt geht unter, und man weiß nicht recht, was zu tun

ist, man hat keine Übung in derlei Angelegenheiten.
Ob da gerade Literatur die Rettung bringen kann, ist
sehr zweifelhaft, oder sagen wir ruhig – ausgeschlossen.
Aber muß deshalb die für Reflexion und Besinnung zu-
ständige Abteilung der Gesellschaft ihren Betrieb ein-
stellen?

Schriftsteller haben zu meinen, daß ohne ihre Texte
die Zukunft nicht erreicht werden kann, daß ohne sie
der Menschenvernunft ein entscheidendes Stück fehlt –
es gehört zu ihrem Handwerkszeug. Wenn sie es nicht
tun und im Bewußtsein ihrer Bedeutungslosigkeit
schreiben, geraten Bücher bestenfalls zu Knüppeln, mit
denen sich Zeit totschlagen läßt. Eine Zeit übrigens, die
zur Neige geht.

Ursprünglich war es mein Plan, diese zweite Vorlesung,
nachdem ich all meine Punkte vorgetragen haben
würde, mit dem Resümee zu beschließen, unter den
dargestellten Umständen könne es keinen wundern,
wie einflußlos die Literatur der Bundesrepublik sei.
Doch auf einmal kommen mir Zweifel, ob sie wirklich
so einflußlos ist. Auf einmal stellt sich mir die Frage, ob
nicht das, was ist, zu einem gewissen Teil auch Resultat
der Literatur ist. Ob sie, diese Literatur, nicht folgen-
reicher ist, als ich es wahrhaben will, und ob ihre Stärke
nicht gerade daher kommt, daß sie sich dem Bestehenden nicht widersetzt, sondern wie sein geschickter Verteidiger auftritt. Wahrscheinlich wäre sie so einflußlos,
wie ich ursprünglich meinte, wenn sie das versuchen
würde, was sie nach meiner Meinung versuchen müßte.
Einmal hat Franz Fühmann geschrieben, es sei unsin-

nig, einem blauen Tisch vorzuwerfen, daß er kein grüner Stuhl ist. Am Ende habe ich genau das getan.

Wem die gegenwärtige Büchernot zu schaffen macht, für den gibt es eine Linderung, ja, eine Rettung, wie sie andere Notleidende nicht kennen: sich in die Vergangenheit zu begeben. Niemandem etwa, der unter Wohnungsnot leidet, sind die Paläste vergangener Jahrhunderte ein Trost. Auch kann er seinem Problem nicht den Rücken kehren und zu wohnen aufhören – die Erlösung liegt allein im Neubau. Ganz anders die Lage derer, die unter der akuten Literaturnot leiden, ihnen steht alle Herrlichkeit vergangener Zeiten offen. Sie können darin versinken und ein ganzes Leserleben dort zubringen.

Sie können sich aber auch verweigern, aufhören zu lesen und eine Existenz als Einschaltquotenpartikel beginnen. Schließlich – sie können sich als Leser bescheiden, also nehmen, was da ist, und allmählich den Blick dafür verlieren, was ihnen verlorengeht.

3. Vorlesung

Ich habe einen Freund, der ein feines Gespür für die
Strömungen der Zeit besitzt und dessen Verhalten, seit
ich ihn kenne, auf zuverlässige Weise so ist, daß man
immer sagen kann, es sei heutig. Nicht etwa, daß er andauernd Augen und Ohren offenhielte, um nur ja keinen Modewechsel zu verpassen, dafür ist er zu sicher
im Geschmack. Vielmehr meine ich, daß er mit der sel-
tenen Gabe der Frühempfindung ausgerüstet ist: Ohne
sich um den Zeitgeschmack kümmern zu müssen, ist er
dessen souveränster Repräsentant. Und wenn doch
einmal eine Abweichung sichtbar wird, kann man sein
ganzes Geld darauf wetten, daß er dem Zeitgeschmack
nur ein Stück voraus ist. Sie hören es mir an – ich be-
wundere ihn.

Dieser Freund nahm vor einiger Zeit eine Verände-
rung in seinen Wohnverhältnissen vor, die mich ver-
wirrte: er schaffte beinahe alle Bücher aus seiner Wohnung. Nicht daß er sie verkauft oder verschenkt hätte,
so weit mochte er nicht gehen, vielleicht *noch* nicht; er
packte sie in Kisten und Kartons – es waren die schönsten bibliophilen Ausgaben darunter – und schleppte
sie in den Keller. Nur ein kleiner Schrank voll durfte
bleiben, der in den Augen eines Besuchers nichts Auf-
fälliges haben mochte, mich aber, der ich ständiger Gast
in der Wohnung war, nur an die verschwundene Bü-
cherpracht erinnerte und also betrübte. Einige Tage
wartete ich auf seine Erklärung. Ich dachte, daß er es
für der Mühe wert halten würde, dem einzigen Schriftsteller unter seinen Freunden die Einkellerung der Bü-

cher zu erläutern. Doch er war offenbar nicht dieser
Ansicht, es schien ihm nicht einmal bewußt zu sein, daß
die Sache für mich von besonderem Interesse war.
Denn eines Tages bat er mich sogar, ihm beim Einräu-
men seiner schönen Gläsersammlung in die vordem mit
den Büchern vollgestopften Regale zu helfen – bisher
hatten die Gläser tatsächlich eingezwängt und ungün-
stig stehen müssen.

Ich war also gezwungen zu fragen. Ich mußte fragen,
was ihm die Bücher getan hätten, daß er sie so zurück-
setzte; und ob die Annehmlichkeit, die dekorativen
Gläser ständig vor Augen zu haben wie ein Brett vor
dem Kopf, soviel mehr wiege als die gute Gegenwart
der Bücher. Es ist nicht übertrieben zu sagen, daß mein
Freund mich daraufhin sehr verwundert ansah. Er entgegnete spitz, wenn er geahnt hätte, wie wichtig mir die
Anordnung der Gegenstände in seiner Wohnung sei,
hätte er die Aufräumarbeit natürlich vorher mit mir be-
sprochen. Dann fragte er aber in versöhnlichem Ton,
ob ich tatsächlich entschlossen sei, wegen einer solchen
Lappalie zu streiten, und ich sagte »nein«, auch wenn
ich die Sache keineswegs für eine Lappalie hielt. Er
legte mir eine Hand auf die Schulter, führte mich zu
dem Schrank mit den wenigen verschonten Büchern
und fragte, ob ich mir denn überhaupt schon angesehen
hätte, nach welchen Gesichtspunkten er beim Ausson-
dern vorgegangen sei. Er wußte genau, daß ich es nicht
getan hatte, er ist ein scharfer Beobachter. Ich sagte, ich
nehme an, die sogenannten Lieblingsbücher hätten da-
bleiben dürfen, die übrigen hätten weichen müssen. Er
sagte »Unsinn«, öffnete den Schrank und hieß mich, die

Buchrücken zu lesen. Es war eine merkwürdige und
doch vollkommen eindeutige Auswahl.

Dort standen nur Nachschlagewerke: Synonym-
wörterbücher, ein etymologisches Wörterbuch, ein
Wörterbuch für Zweifelsfälle der deutschen Sprache,
ein Handbuch der Porzellanmarken, ein Malerlexikon,
ein Schriftstellerlexikon, ein Teppichlexikon, ein Lexi-
kon der deutschen Vornamen, eines der deutschen
Familiennamen, eine vielbändige Enzyklopädie, alles
in allem etwa hundertfünfzig Bücher. Mein Freund
meinte, es müßte mir jetzt alles klar sein, aber mir war
nichts klar. Ich wußte nun zwar genauer, *was* er getan
hatte, doch immer noch nichts über seine Gründe. Ich
fragte ihn, ob er sich auf ein zukünftiges Leben als
Kreuzworträtsellöser vorbereitete.

Auch das verzieh er und hielt mir, der ich so seltsam
begriffsstutzig war, einen kleinen Vortrag: Es tue ihm
leid, gerade mir das folgende sagen zu müssen, doch es
sei allmählich an der Zeit, Bücher von dem Heiligen-
schein zu befreien, den sie in den Augen mancher Leute
hätten und der ihnen, wenn man es unvoreingenommen betrachte, mehr schade als nütze. Falsche Ehrfurcht
halte die Leute eher vom Lesen ab und führe nicht, wie
ich mir wahrscheinlich einbildete, zu einem familiären
Umgang mit Literatur. Es sei einfach absurd zu glauben, sagte mein Freund, Bücher hätten ein ewiges Auf-
enthaltsrecht in den Regalen und Schränken, Bücher
dürften alle anderen Gegenstände überdauern, auch
wenn sie noch so öde seien, auch wenn die Einbände
vor Häßlichkeit schrillten. Dies sei eine Vorstellung aus
der Zeit, da dem Romanelesen noch der Geruch des

Exklusiven angehaftet habe, sagte er, da Bücherleser vor allem solche Leute gewesen seien, die in herrschaftlichen Wohnungen gelebt hätten, mit so vielen Räumen, daß einer davon als Bibliothek habe dienen können, am besten ein runder, wie man es aus Filmen kenne. Ich möge ihm verzeihen, aber wenn heute jemand von *seiner Bibliothek* spreche, finde er das ein bißchen lächerlich. Ob ich denn den Blick dafür verloren hätte, wie die heutigen Wohnbedingungen seien? Ob nicht manche Leute allein schon deswegen weniger läsen, weil sie unter der Furcht litten, immer enger wohnen zu müssen, je mehr Bücher sie sich kauften? Ob ich mir nicht vorstellen könne, daß die Beliebtheit des Fernsehens unter anderem daher komme, daß der Apparat jeden Tag ein anderes Programm hergebe, ohne dabei größer zu werden?

Ich wollte zurück zum Ausgangspunkt unseres Gesprächs und fragte meinen Freund, ob ich recht verstanden hätte, daß er all die Bücher in den Keller geschafft habe, die er für öde halte oder deren Äußeres ihm nicht gefalle. Er sagte: ›Natürlich nicht.‹ Er sagte, wenn es so wäre, hätte er nicht auch die Cottasche Goethe-Ausgabe aussortiert, das könne ich mir wohl selbst denken. Seine Befreiungstat (das ist tatsächlich sein Ausdruck) habe sich nicht gegen ein paar ihm zufällig ins Auge springende Bücher gerichtet, sondern gegen die gesamte sogenannte schöngeistige Literatur. Schon lange habe er den Eindruck, einem Schwindel aufgesessen zu sein, einem raffinierten Trick, dessen sich die Bücherproduzenten und die Buchhändler bedienten. Diese hätten den Leuten weisgemacht, Bücher seien eine Art heiliger Ware, eine, die man im Unterschied zu allen anderen Waren nach Gebrauch nicht wegwerfen dürfe, selbst nicht nach einer Schamfrist, eine Ware, mit der man, ist sie erst einmal erworben, bis an sein Ende zu leben habe, auch wenn man sie nie wieder benötige. Sogar dann, wenn ein Buch sich bei näherem Betrachten als schwachsinnig herausgestellt habe – und er kenne eine verdammte Menge solcher Bücher, sagte mein Freund –, gelte es als frevelhaft, es einfach in die Mülltonne zu stecken. Schon in der Schule werde einem beigebracht, daß gerade Bücher besonders pfleglich zu behandeln seien, daß man keine Eselsohren hineinmachen dürfe, keine Unterstreichungen, keine Flecken. Die Lehrer träten als Agenten der Verleger und Buchhändler auf, der Himmel wisse warum, wahrscheinlich weil sie selbst deren Opfer seien.

Auf einmal hatte ich das Gefühl, als verlöre mein Freund die Geduld mit mir: Wie jemand, der sich bewußt wird, allzu lange falsche Rücksichten genommen zu haben, wurde er auf übertriebene Weise entschieden. Eine Bemerkung von mir brachte ihn besonders in Rage: Ich sagte, ich fände es traurig, daß offenbar nun auch auf diesem Gebiet die Wegwerfpsychose sich durchzusetzen beginne. Nicht genug, daß wir die kostbarsten Rohstoffe zu Müllbergen auftürmten, daß ein gemeingefährlicher Neuheitenterror uns vorschreibe, die nützlichsten Dinge zu vernichten, um Platz für angeblich bessere zu schaffen, nun kämen also auch die armen Bücher an die Reihe. Da verzog mein Freund gequält das Gesicht und sagte: Komm mir doch nicht auf diese mitleidheischende Tour. Es sei auf die Dauer kein Zustand, sagte er dann, wenn die Büchermacher zu einem Gutteil vom schlechten Gewissen der anderen lebten. Echter Respekt könne nicht daraus erwachsen, daß er immer wieder gefordert werde, sondern es müsse ihm eine respektgebietende Leistung vorausgehen. Und zu behaupten, jedes beliebige Buch lasse von vornherein einen respektgebietenden Inhalt vermuten, sei, wie nicht einmal ich bestreiten dürfte, ein Witz. Im Gegenteil, wenn man sich aus dem explosionsartig anwachsenden Haufen von Büchern blind eines herausgreife, liege die Wahrscheinlichkeit sehr nahe, daß es sich um ein trauriges Ding handle. Man brauche nur in die nächstbeste Buchhandlung zu gehen, die sei doch bis unter die Decke voll von Schrott. Dort bögen sich doch die Regale unter Büchern, die niemand brauche, die nur die Leute belästigten und die besser nicht geschrieben worden wären. Ob ich ernstlich von ihm verlangte, vor *solchen* Produkten a priori Ehrfurcht zu haben? Wir könnten unser Renommee – plötzlich redete mein Freund mich im Plural an – nicht für alle Zeiten daraus beziehen, daß es einmal einen Cervantes und einen Shakespeare und einen Flaubert und seinetwegen auch einen Kafka gegeben habe. Das wäre so, als wollten die Besitzer von Imbißbuden mit dem Argument, in machen Fürstenhäusern vergangener Jahrhunderte sei hervorragend gegessen worden, ihre Currywürste verkaufen.

Er habe alle seine Nachschlagewerke deshalb in der Wohnung behalten, weil deren Anwesenheit ihm einleuchte, weil die einen praktischen Zweck erfüllten. Jedes dieser Bücher habe ihm schon viele Male geholfen. Einen Roman dagegen habe er in seinem ganzen Leben noch nie zweimal gelesen, die meisten sogar nicht einmal bis zur Hälfte, das gestehe er mir unumwunden. Er kenne diese Leute, die behaupteten, manche Bücher immer wieder lesen zu müssen wie ein Lebenselixier, die meisten seien Heuchler. Die glaubten, mit Hilfe solch lächerlicher Behauptungen für kulturvoll gehalten zu werden. Den wenigen anderen, die die Bücher tatsächlich mehrmals läsen, wolle er nichts unterstellen, doch für seine Begriffe verhielten sie sich etwas seltsam. Er selbst lese Bücher so lange und so genau, bis er sie entweder verstanden oder beschlossen habe, sie für unverständlich zu halten. Er könne natürlich nicht ausschließen, daß ihm hier und da ein Rest entgehe, manchmal vielleicht mehr als das; das sei bedauerlich, aber nicht zu ändern. Er werde nicht damit anfangen, aus dem Lesen eine Lesearbeit zu machen und möglichen Resten nachzuspüren. Lieber nehme er sich das nächste Buch vor, zum Lesevergnügen gehöre für ihn nämlich auch das Interesse am Fortgang einer Geschichte, ein Lesen ohne Vergnügen hätte für ihn wenig Sinn. Und er denke nicht daran, sich dafür zu schämen, daß seine Neugier auf ein Buch befriedigt sei, wenn er es gelesen habe. Er rief: ›Ja, wann denn sonst!‹

Wenn sich unter den vielen Hunderten von Büchern, die er in den Keller geschafft habe, fuhr mein Freund fort, drei oder vier befänden, in die er im Laufe der nächsten Jahre eventuell einen Blick hineinwerfen könne – *dafür* solle er sämtliche Bücher in der Wohnung behalten? Er finde, der Keller sei ein sehr guter Aufbewahrungsort für Dinge, von denen man nicht wisse, ob sie später noch gebraucht würden, genau dafür seien Keller da. Ich solle den Weg in den Keller nicht mit dem Weg zur Mülltonne verwechseln. Und mit der Aussicht, in Zukunft eventuell noch gebraucht zu werden, seien die meisten Bücher ziemlich gut bedient.

Im übrigen rate er uns, den Büchermenschen, auf das Brimborium zu verzichten, das wir gern um Bücher veranstalteten, auf unsere anachronistische, elfenhafte Empfindsamkeit. Dieses Getue sei für viele eine ärgerliche Herausforderung, es wecke Aversionen, die nicht zu sein brauchten, und verhindere ein normales Verhältnis zu Büchern. Dies Verhältnis sei nach seiner Meinung dann normal, wenn man Bücher als Gebrauchsgegenstände ansehe, wenn man frei sei, sie für nützlich oder überflüssig zu halten, wenn man sie mit derselben Willkür behandeln dürfe, mit der auch andere tote Gegenstände von ihren Besitzern behandelt würden. Er könne sich nicht vorstellen, daß einem Menschen, der aus seiner Wohnung Töpfe oder Stühle in den Keller geschafft habe, dafür von einem Freund jemals Vorhaltungen gemacht worden wären. Es sei eine Taschenspielerei, die Leute glauben zu machen, ein Buch sei eine Art vergegenständlichter Verstand. Ebensogut könne es sich auch um vergegenständlichten Unverstand handeln, um modebedingte Nachäfferei oder um ein Produkt schlichten Erwerbstriebs. Und welcher der Kategorien es zugehörig sei, müsse jedes einzelne Buch erst beweisen.

Als wir uns das nächste Mal trafen, mein Freund und ich, wurde kein Wort mehr über die Sache gesprochen.

Wir hatten beide das Thema nicht vergessen, das bestimmt nicht, dennoch verhielten wir uns erkennbar vorsichtig, so als wollten wir den anderen nicht nötigen, sein Terrain zu verteidigen. Bei mir kam ein merkwürdiger Umstand hinzu: Auch wenn ich mich durch jedes dritte Wort in seinem Vortrag herausgefordert gefühlt hatte und die Dreistigkeit mancher seiner Argumente mich immer noch ärgerte, spürte ich inzwischen, daß an seinem Bücherverdruß etwas Gerechtes war. Auch etwas Zeitgerechtes. Er hatte einem Unbehagen Ausdruck gegeben, das in der Luft liegt, das wahrscheinlich im Wachsen begriffen ist und das *uns Büchermenschen* nichts Gutes verheißt.

Zum erstenmal kam mir zu Bewußtsein, daß das Lesen kein den Menschen angeborenes Bedürfnis ist. Zweifellos gibt es Umstände, die es fördern, solche, die es zurückdrängen, solche, die es ersterben lassen – das kann man selbst dann sagen, wenn man nicht weiß, was das für Umstände sind. Vielleicht witterte mein Freund, mit wacherem Sinn als ich ausgerüstet, daß die Zeit der Literatur allmählich zu Ende geht. Ich fragte ihn nach seiner Meinung: Ob er glaube, daß das Bücherlesen eine absterbende Tätigkeit ist, die Schuldfrage fürs erste außer acht gelassen, ob das Interesse, das den Büchern einmal gegolten habe, sich nun anderen, für wichtiger gehaltenen Gegenständen zuwende.

Mein Freund lachte auf, obwohl ich alles andere als einen Witz gemacht hatte. Er sagte, allein diese Frage reiche aus, die wachsende Abneigung vieler Leute gegenüber literarischen Büchern – wenn nicht zu erklären, so doch verständlicher zu machen. Zum einen hätte ich sie mit einer Miene und in einem Ton gestellt, als sei vom bevorstehenden Weltuntergang die Rede. Er wolle mich nicht kränken, doch selbst wenn das Ende der Literatur ins Haus stehen sollte, was er, nebenbei gesagt, nicht glaube, so wäre das nicht dasselbe wie der Weltuntergang. Genau das aber sei die Haltung vieler Literaten, die dem Publikum entsetzlich auf die Nerven gehe: Literatur für den Nabel der Welt zu halten, für das Maß aller Dinge und den Stand der Zivilisation danach einzuschätzen, welchen Rang Bücher darin einnähmen. Zum anderen habe meine Frage eine verräterische Floskel enthalten; ich hätte mich nach seiner Meinung erkundigt, ob sich das Interesse der Leute nun von Büchern auf andere, *für wichtiger gehaltene Gegenstände* richte. Er meine dieses *für wichtiger gehalten*, womit ich ja wohl eindeutig habe ausdrücken wollen, daß es sich um *fälschlicherweise* für wichtiger gehaltene Gegenstände handle. Ob es tatsächlich meine Überzeugung sei, daß es nichts gäbe, das in seiner Wichtigkeit der Literatur das Wasser reichen könne.

Ohne lange Vorbereitung hatte er zu seiner forschen, aggressiven Art des Argumentierens wiedergefunden, meine kleine Frage hatte als Anlaß genügt. Doch diesmal war ich entschlossen, mich nicht mit der Rolle des Dulders zu begnügen, ich wollte genauso heftig widersprechen. Ich stachelte mich mit dem Gedanken an, daß solche wie mein Freund den Büchern das Leben sauer machten. Am Ende, dachte ich, ist er Opfer von Seuchen, die landauf landab grassieren: der Veroberflächlichung, der Denkunlust, der Amüsiersucht. Nur deshalb will er die Bücher loswerden. Weil ihm aber unwohl dabei ist, weil er ein schlechtes Gewissen zu besänftigen hat, muß er so scharf sein. Man weiß ja: die Halbherzigen stürmen meist vorneweg.

Ich sagte, mit seinen Spitzfindigkeiten brauche er diesmal nicht anzufangen, die Frage sei doch nicht, ob das nachlassende Interesse an Büchern dem Weltuntergang gleichkomme, sondern ob es bedauerlich sei. Vor allem, wie man es aufhalten könne. Und die Frage sei nicht, ob es sich bei Literatur um das Wichtigste auf der Welt handle, was im übrigen nur ein Schwachkopf behaupten könne, sondern warum sie immer mehr zu einer Randerscheinung werde. Seine Übertreibungen hülfen uns da nicht weiter. Auch hätte ich keine Ahnung, worauf er mit seinen dauernden Bemerkungen über ein angebliches Getue der Schriftsteller hinauswolle. Es komme mir verständlich vor, wenn Menschen die Ergebnisse ihrer eigenen Berufsausübung besonders ernst nähmen, und nicht nur verständlich, sondern auch angemessen. Einem Historiker müsse nun einmal Geschichte wichtiger sein als anderen und einem Ornithologen die Vogelwelt und einem Chemiker die Chemie; sie alle müßten sich mit ihrer Materie auf eine Weise beschäftigen, die anderen wohl übertrieben vorkommen könne, also fast *allen* anderen, die aber dennoch eine Voraussetzung für ernsthafte Arbeit darstelle. Es sei allzu simpel, den Rückgang des Interesses an Büchern mit dem narzißtischen Verhalten einiger Schriftsteller zu erklären, und falsch sei es obendrein. Es handle sich dabei um eine periphere, wenn auch ärgerliche Erscheinung, ein wichtiger Grund für den Rückgang sei sie jedenfalls nicht. Es wäre ja zu schön,

wenn die Schriftsteller sich nur anders zu verhalten
brauchten, damit die Literatur wieder im Rampenlicht
stehe.

Sie müßten sich nicht anders verhalten, rief mein
Freund, sie müßten andere Bücher schreiben! Nicht
immer dieses nichtssagende Zeug, das entweder gefällig
sei wie ein Veilchenstrauß oder verschroben. Er habe
über einen Schriftsteller, dessen Name ihm entfallen
sei, einmal gelesen, daß man aus seinen Büchern die
Zeit, in der er gelebt habe, rekonstruieren könne, selbst
wenn alle anderen Spuren verlorengegangen sein sollten. Solche Schriftsteller und solche Bücher gäbe es
nicht mehr. Ich warf ein: Der Name ist Balzac, seine
Romane liegen bei dir im Keller. Er stelle sich vor, fuhr
mein Freund fort, in einigen fünfzig oder hundert Jahren sei unsere Zivilisation aus irgendwelchen Gründen
ausgelöscht, nur die Bücher seien durch einen glücklichen beziehungsweise unglücklichen Zufall übrig-
geblieben: Was für ein Bild unserer Zeit aus diesen
Büchern für den zufälligen Betrachter erwachse. Ich
fragte: ›Für welchen zufälligen Betrachter?‹ Mein
Freund fragte ärgerlich zurück: ›Ist das jetzt wichtig?‹
Und ich sagte: ›Das ist die wichtigste Frage überhaupt.‹

Denn über der Frage, ob die Zeit der Literatur zu
Ende gehe, thront eine andere: Ob nicht die Zeit der
Menschen zu Ende geht. Es ist hier nicht der Ort zu
untersuchen, wie zwingend unsere Lebensverhältnisse
zu einer solchen Frage führen, doch eines steht wohl
fest: Aus der Luft gegriffen ist sie nicht. Menschen verhalten sich zunehmend so, als stünde ihnen nur noch
eine Galgenfrist zur Verfügung, über deren Dauer man

am besten nicht nachdenkt. Die Konsequenz ist eine
gewisse Verantwortungslosigkeit, sowohl im privaten
wie im gesellschaftlichen Bereich – man verjubelt und
verpraßt, was man greifen kann. Man plündert die Vor-
räte, man renoviert nicht mehr, man macht Schulden,
wo es geht. Die Größe des Nutzens zum Beispiel, den
wir aus der Vernichtung der Umwelt ziehen, steht in
keinem Verhältnis zur Größe des Schadens, den wir damit den Nachkommenden zufügen. Aber macht nichts,
scheinen wir zu denken, Nachkommende wird es
ohnehin nicht geben. Immer mehr Leute ähneln der
Witzfigur, die zum Arzt geht und erfährt, daß sie nur
noch Monate zu leben hat. Die schwindende Zeit ist für
Bücher einfach zu schade, vielleicht denken so auch
heimlich die Schriftsteller. Und vielleicht läßt das Bewußtsein, daß Bücher unwichtig geworden sind, die
Buchproduktion so verwahrlosen. Ich fragte meinen
Freund noch einmal, was für ein zufälliger Betrachter
das sein soll, der sich ein Bild von unserer Zivilisation
zu machen versucht, nachdem sie untergegangen ist.
Wenn die Befürchtung umgeht, daß es solch einen Betrachter nicht geben wird, so kann das nicht ohne Folgen für die Bücher bleiben.

Mein Freund sagte, jetzt tue ich genau das, was ich
ihm zuvor vorgeworfen habe, jetzt sei *ich* spitzfindig.
Ich klammerte mich an eine vage Vorstellung, an eine
zufällige und recht unwahrscheinliche Fiktion, um damit das sehr reale Manko der gegenwärtigen Bücher zu
erklären. Die Theorie von der Weltuntergangsstim-
mung höre man immer mal wieder, und zwar stets von
denjenigen, die mit ihrer Logik am Ende seien. Sie stelle

eine Art geistigen Notgroschen dar. Zu allen Zeiten habe die wichtigste Qualität der Literatur darin bestanden, daß sie sich über die erbärmlichen Lebensumstände hinaushob und einen Blick auf Gegenwart, Vergangenheit oder Zukunft erlaubte, wie er den in diesen Umständen Befangenen und Gefangenen sonst nicht möglich gewesen wäre. Diese Qualität habe die heutige Literatur verloren, zumindest könne er sie nirgends entdecken, die Literatur sei um keinen Deut weniger hohl und oberflächlich als das sonstige intellektuelle Leben. Und *das* sei der Grund für ihren Abstieg ins Schattendasein, nicht irgenwelche Ängste vor irgendwelchen Untergängen.

Natürlich redete er nicht nur Unsinn. Aber es kam mir wenig sinnvoll vor zu sagen, worin ich ihm zustimmte, unsere Meinungsverschiedenheit war wichtiger. Es mochte noch so angebracht sein zu bedauern, daß den Büchern zeittypische Mängel anhaften, andererseits braucht man sich nicht darüber zu wundern, daß die Literatur ein Produkt ihrer Zeit ist. Ich verstand meinen Freund schon: Die Zeitgenossenschaft eines Autors muß sich nicht darin erschöpfen, daß sein Werk die zeitüblichen Beschränktheiten aufweist – es kann diese Beschränktheiten auch beschreiben und bloßlegen und geißeln. Es kann versuchen, sie zu bekriegen. Aber meinem Freund gefiel es zu sehr, die Verantwortung nur bei unsereinem zu suchen. Die Schuld der Schriftsteller an ihren Büchern liegt auf der Hand, und ich hatte sie ja schon mehrfach eingestanden; die Schuld der Gesellschaft an ihren Schriftstellern dagegen ist nicht so offenkundig.

In Ezra Pounds Essay *ABC des Schreibens* steht der folgende Satz: »Die Zeit Shakespeares war die große Zeit schlechthin; es war die Zeit, als die Sprache noch nicht festgefahren, als der Hörer noch in die Worte vernarrt war . . .« Ich erinnere mich, daß mir beim Lesen der Gedanke kam, was für ein Glück es für einen Autor sein muß, wenn um ihn herum ein Interesse an Worten und Sätzen und Gedanken herrscht, von einer Gier gar nicht zu reden; wie ich mir vorstellte, daß solch ein Interesse den Schreiber anfeuern muß, das Letzte aus sich herauszuholen. Man kennt ja auf anderen Gebieten dieses Phänomen: Eine an sich mittelmäßige Fußballmannschaft ist vor eigenem Publikum plötzlich in der Lage, einen Gegner zu besiegen, der übermächtig zu sein schien. Die Sportreporter sagen: Zu Hause helfen die Wände. Ach, und unsere armen Autoren dagegen. Müssen sich vor einem Publikum abmühen, das an allem möglichen interessiert ist, nur nicht an ihren Kunststücken. Müssen gegen den kalten Wind der Gleichgültigkeit anschreiben, der so kräftig bläst, daß es sie andauernd umwirft und daß nur die stromlinienförmigen unter ihnen, nur die windschlüpfrigen eine Chance haben voranzukommen. Ein Liebesverhältnis zu Sprache, Vernarrtsein in Worte, das wäre wie eine kuriose Überspanntheit, ja, in manchen Augen wie eine Perversion, die der von ihr Befallene mit sich selbst ausmachen und nicht auf dem Markt präsentieren sollte. Ich fragte meinen Freund, ob er denn in der Lage sei, die Ansprüche zu nennen, die heute von der Allgemeinheit an die Literatur gestellt würden und die diese nicht erfülle.

Ich solle ihn nicht mit solch lehrerhaften Fragen ab-
strafen, sagte mein Freund gereizt, man werde ja wohl
noch eine Sache kritiseren dürfen, ohne eine Theorie
für ihre Besserung parat zu haben. Augenblicke später
kam ihm das selbst zu armselig vor, und er fing an,
Mängel und Versäumnisse der neueren Literatur aufzu-
zählen: Sie sei unverbindlich, man habe den Eindruck,
wichtiger als alles anders sei ihr, es mit niemandem zu
verderben. Sie sei zu wenig besessen, sie mühe sich um
Normalität und kenne keine Verstiegenheiten, wie sie
bei aller guten Literatur selbstverständlich seien. Es
scheine den Autoren um nichts so sehr zu gehen wie
darum, ihre Bücher loszuschlagen. Sie sei zu freund-
lich, zu unaggressiv, und das bedeute auf Dauer, zu
wenig entschieden, dabei wisse man doch, daß es kein
penetranteres Prinzip gäbe als immerwährende
Freundlichkeit und ständige Konsenssucht. Sie ver-
meide es somit, parteilich zu sein und sich Feinde zu
schaffen. Unsere Literatur erinnere ihn an eine immerwährende große Koalition. Das alles führe schließlich
dazu, daß die Bücher einander immer ähnlicher würden, jedenfalls von seiner Warte aus, er könne zehn
Stück lesen, die nach einiger Zeit in seiner Erinnerung
zu einem einzigen verwüchsen, zu einem netten
Nichts, und das wiederum lasse ihn sich fragen, ob er
sich die zehn nicht hätte sparen können. Er vermisse die
Unvergleichlichkeit, das sei ein ganz zentraler Verlust,
denn wenn Bücher aufhörten, einzigartig zu sein, ge-
hörten sie in den Keller.

Daß mein Freund mir im großen und ganzen aus dem
Herzen sprach, tat jetzt nichts zur Sache. Ich fragte ihn,

ob er tatsächlich glaube, die Bücher von heute würden mehr respektiert werden, wenn sie verstiegener, entschiedener, aggressiver, sensibler oder intelligenter wären. Er dachte eine Weile nach, bevor er antwortete: Das wisse er nicht, er wisse nur, daß sie dann *von ihm* mehr respektiert würden. Ich sagte, das sei angenehm zu hören, nur reiche es den Schriftstellern leider nicht aus. Er dürfe nicht so tun, als seien die Forderungen an Literatur, die er aufgezählt habe und die ich ja anerkenne, zugleich solche, die die heutige Gesellschaft an Literatur stelle. Im Gegenteil, er könne doch nicht die Augen davor verschließen, daß vor allem das Fehlen von Entschiedenheit und Intelligenz (also Schwammigkeit) den Büchern noch eine gewisse Präsenz garantiere, vielleicht eine Galgenfrist. Wo er denn einen Bedarf an Sensibilisierung sehe? Wo denn Lust auf die Begegnung mit dem Unbekannten, wie Literatur in ihren guten Momenten sie bieten könne? Ob es nicht vielmehr so sei, daß allenthalben Angst vor einer solchen Begegnung herrsche und daß Schriftsteller es zunehmend als sinnlos empfänden, gegen eine Wand anzuschreiben? Schön, dabei handle es sich um eine Form der Anpassung, die man verurteilen könne, meinetwegen auch zu Recht verurteilen. Aber er solle aufhören, die Wirkung ständig für die Ursache zu halten. Eine zunehmend debilisierte Gesellschaft erzwinge eine zunehmend debilisierte Literatur, nicht umgekehrt. Vielleicht könnte die Literatur mit einer enormen Anstrengung, mit einem Einsatz der Schriftsteller bis zur Selbstaufgabe, diesen Idiotisierungsprozeß um ein Winziges verlangsamen, aufhalten könnte sie ihn nicht.

Die meisten Autoren verhielten sich in dieser Situation auf verständliche, wenn auch nicht gerade sympathische Weise: Sie sagten sich, daß, wenn die Not nun einmal unausweichlich sei, man besser seinem eigenen Interesse folgen sollte, anstatt ihr erstes Opfer zu werden.

Mein Freund sagte, wir redeten inzwischen über zwei verschiedene Dinge: Während er mir darzulegen versuche, welche Deformationen die gegenwärtige Schöne Literatur aufweise und wie diese Deformationen sein Interesse an ihr gemindert hätten, wolle ich ihm unentwegt erklären, wie die Deformationen zustande gekommen seien. Das könne zu nichts führen, denn selbst wenn ihm meine Erklärungen einleuchteten, selbst wenn ich ihm genau nachweise, aus welchen Gründen die Leere Einzug in die Bücher gehalten habe, ändere das nichts am Vorhandensein dieser Leere. Sein Interesse werde dadurch bestimmt nicht wieder zum Leben erweckt. Aber etwas anderes an meinen Worten, sagte er, störe ihn noch mehr:

Er meine, darin zu hören, die Schriftsteller verfolgten, indem sie ihre Bücher nach und nach des Tiefsinns und der Schönheit und der Bedeutsamkeit beraubten, eine Art Überlebensstrategie. Das sei natürlich vollkommener Blödsinn, es sei denn, ich meinte nicht das Überleben der Literatur, sondern das der Schriftsteller, das nackte. Literatur könne nicht überleben, indem sie genau das aufgebe, was ihr Wesen ausmache, es gebe kein Überleben durch Selbstaufgabe. Wenn etwa ein feines Restaurant sich aus Umsatzgründen auf den Verkauf von Würstchen umstelle, käme ich ja auch nicht auf die Idee zu behaupten, die gute Küche überlebe nun in Form von Würstchen. Und wenn Vögel von Katzen gefressen würden, ob ich dann der Meinung wäre, die Vögel hätten in Form der Katzen überlebt? Überleben habe etwas mit Bewahrung der Identität zu tun, das sei keine Frage der Interpretation, sondern eine der Logik.

Und er möchte weitergehen: Eben habe er mir vorgeworfen, ich spräche vom Überleben der Literatur und meinte in Wirklichkeit das der Schriftsteller, aber auch das sei so nicht richtig. Schriftsteller seien für ihn dadurch definiert, daß sie *Literatur* produzierten. Wenn sie nun anfingen, etwas herzustellen, das alle möglichen Namen verdiene nur nicht die Bezeichnung *Literatur*, dann müsse die Frage erlaubt sein, ob es sich bei den betreffenden Personen noch um Schriftsteller handle. Er sei der letzte, der kein Verständnis für existentielle Nöte habe, und wenn jemand meine, sich auf die eine Weise besser durchschlagen zu können als auf die andere, dann sei das allein dessen Angelegenheit. Er fühle sich erst dann betroffen, wenn es sich um Etikettenschwindel handle, und das sei bei unserer Sache ja wohl längst der Fall. Das meiste, was im Gewande der Literatur daherkomme, stelle Abfall dar, er sei sich der Kraßheit des Ausdrucks bewußt, sei geistige Umweltverschmutzung. Und die Autoren, die dafür verantwortlich seien, hätten das Recht auf eine Ehrerbietung verwirkt, die viele Schriftstellergenerationen mühsam erworben hätten, und zwar gerade *nicht* dadurch, daß sie den Weg des kleinsten Widerstandes gegangen wären.

Ich übersah nicht, wie ich im Laufe unseres Gesprächs die Seiten wechselte: Als Ankläger hatte ich angefangen und stand auf einmal als Verteidiger da. Vielleicht war es die letzte mir verbliebene Schriftstellertugend, eine Position einzunehmen und, wenn endlich Einigkeit über diese Position zu herrschen schien, mich nach einer neuen umzusehen. Jedenfalls ging es mir gegen den Strich, wie hartnäckig mein Freund den Umstand, daß die Schriftsteller nicht nur Täter, sondern auch Opfer waren, übersah. Er verwies darauf, daß sie nur insofern Schriftsteller sind, als sie sich von allen übrigen Menschen unterscheiden, und weigerte sich zu erkennen, daß ihnen nichts Übermenschliches innewohnt, leider. Er schlich sich mit seinen Argumenten unmerklich aus unserer Zeit, das war es: Er tat so, als wären Opportunismus und Oberflächlichkeit wie eine unerklärliche Krankheit über unsere Schriftsteller gekommen, wie ein Schicksal aus dem Nichts. Und es prallten alle Hinweise, daß diese Entwicklung Ursachen haben könnte, die über das Gebiet der Literatur hinausgingen, von ihm ab. Das entwertete seine Argumente, es machte sie weniger gewichtig, als sie es, allein an der Bedeutung der einzelnen Sätze gemessen, zu sein brauchten.

Ich sagte meinem Freund, ich werde jetzt genauso über ihn herziehen, wie er über die Literatur hergezogen sei, genauso plausibel und ungerecht zugleich. Daß die Leute die Lust am Lesen verlören, daß die allgemeine Analphabetisierung so gut vorankomme, sei eine Zeiterscheinung, die um ihn herum keinen Bogen mache; ich aber wolle nun so tun, als handle es sich bei ihm um einen Individualfall. Er sei schlicht zu faul und inzwischen wahrscheinlich auch nicht mehr wach genug fürs Lesen. Er habe es sich angewöhnt, andere Tätigkeiten für lohnender und interessanter zu halten, und das sei nicht von deren wirklichen Qualitäten abhängig, sondern die Folge seines Entschlusses. Zeitvertreibe wie Radiohören, Zeitunglesen, Kneipenbesuche, Gespräche mit Freunden über immer dasselbe, Fernsehen, Kartenspielen und so weiter verbrauchten all seine Aufmerksamkeit. Lesen bedeute das Setzen einer anderen Priorität, und dazu fühle er sich nicht mehr imstande. Wenn dann noch das Gefühl hinzukomme, Bücher könnten die erbärmliche Welt nicht aus den Angeln heben – was sie im übrigen noch nie konnten –, sei es um die Leselust endgültig geschehen. Weil er aber all das natürlich nicht zugeben, nicht einmal sich selbst eingestehen wolle, schiebe er die Schuld auf die anderen, auf die Bücher. Dabei lohne es sich trotz aller erwähnten Mängel der Bücher, die unbestritten seien, immer noch zu lesen. (Das behauptete ich einfach.) Sie enthielten immer noch ein gewisses Quantum an Schönheit und Weisheit und Hellsichtigkeit, dem man sich lieber hingeben sollte als den meisten täglichen Hirnlosigkeiten, und zwar nicht den Büchern zuliebe, sondern einem selbst zuliebe.

Die Beschäftigung mit einer fragwürdigen Sache abzubrechen, sagte ich, sei erst dann von wirklichem Nutzen, wenn man statt dessen etwas Sinnvolleres anfange. Freie Kapazitäten zu schaffen sei für sich noch kein Wert. Wenn ich nun beobachte, zugunsten welcher Idiotien die Leute mit dem Lesen aufhörten, daß kaum

ein Zeitvertreib öde und armselig genug sein könne, um
nicht für lohnender als das Lesen gehalten zu werden,
dann empfände ich trotz allem Solidarität mit den real
existierenden Büchern. Das Abwenden von ihnen habe
eben nicht nur mit den Büchern zu tun, sondern auch
mit der nachlassenden Aufnahmefähigkeit und der
schwindenden Denkbereitschaft des Lesers. Er, mein
Freund, demonstriere das überdeutlich, indem er
meine, daß in seiner Wohnung mit vier Radios und zwei
Fernsehern und Plattenspieler und CD-Player und Re-
cordern und Hunderten von Tonbändern und Hunderten von Videokassetten kein Platz für Romane und Ge-
dichte sei. Dieser Entschluß habe etwas unangenehm
Zügelloses, die Wohnung werde sich jetzt wohl allmählich in ein Vergnügungs-Center verwandeln. Er solle
sich nicht einbilden, daß seine Gründe, das Lesen zu
reduzieren und am Ende ganz einzustellen, gediegener
oder sonstwie edler seien als die der vielen Leute
ringsum – es handle sich um haargenau dieselben jäm-
merlichen Gründe. Daß er redegewandter sei als die
meisten und mit solchem Geschick seine Fehlleistun-
gen hinter bunten Wortvorhängen verbergen könne,
ändere nichts an diesem traurigen Sachverhalt. Wir hätten uns den ganzen langen Disput sparen können, sagte
ich, wenn er gleich am Anfang gesagt hätte, daß er in
Zukunft die Mühe, die ihm das Lesen mehr und mehr
bereite, lieber für schlichtere Tätigkeiten aufwenden
wolle.

Da wir uns in *seiner* Wohnung befanden, konnte
mein Freund nicht einfach aufstehen und gehen. Er spa-
zierte mehrere Sekunden auf und ab im Zimmer, ich

wußte, daß er nach Worten suchte, die mich zerschmettern sollten. Schließlich setzte er sich wieder, brachte ein finsteres Lächeln zustande und sagte, ich verhielte mich genau entsprechend einem Muster, das man aus der Psychologie kenne: Ich versuchte, aus einem persönlichen Scheitern ein gesellschaftliches zu machen und es so als eine Art Naturnotwendigkeit hinzustellen. Insgeheim müßten meine schriftstellerischen Hervorbringungen für mich selbst doch eine ziemliche Enttäuschung bedeuten; es könne gar nicht anders sein, wenn er die theoretischen Ansprüche an Literatur, die er hin und wieder von mir gehört hätte, mit diesen Hervorbringungen vergleiche. Anstatt mich nun aber damit abzufinden, daß meine Mittel als Autor begrenzt sind, sei ich auf den Dreh verfallen, aus meinem eigenen Scheitern ein Scheitern der Literatur zu machen. Doch nicht einmal das reiche mir aus, ich sei beim Herbeizaubern von Belegen für meine Schuldlosigkeit unersättlich: Auch die Literatur sei an ihrem Scheitern schuldlos, somit natürlich auch die Literaten – der wahre Schuldige sei ein gewisser Zeitgeist. Der veneble den Leuten die Hirne, der mache sie unempfänglich für die Reize der Bücher, der locke sie zu stumpfsinnigen Vergnügungen und verwandle die Leser von gestern in die Kretins von heute. Und da auch die Schriftsteller den Einflüsterungen des Teufels Zeitgeist ausgeliefert seien, paßten sich ihre Produkte allmählich der neuen Situation an und würden überflüssig. Somit schließe sich der Kreis, mein Freund sagte höhnisch: ›Doppelt genäht hält besser.‹

Ich dachte, das wäre ja noch schöner, wenn schlechte

Schriftsteller sich keine Gedanken über den Zustand
der Literatur oder der Welt machen dürften. Es dürfen
sich ja auch schlechte Leser über die Literatur beklagen,
und davon gibt es sicher mehr. Doch ich sagte, wir
wollten lieber nicht persönlich werden, das wäre weder
für eine Klärung unseres Streits günstig noch für unser
Verhältnis. Mein Freund nickte, aber ich sah ihm an,
daß es eine sehr dünne Zustimmung war. Ich sagte,
vielleicht könnten wir uns auf folgendem Wege näherkommen: Es sei doch eine der wichtigsten Wirkungen
von Literatur, wenn nicht die wichtigste, daß sie Lesern
den Blick auf sich selbst zu öffnen helfe. Die Menschheit heute aber lebe im Zustand eines permanent
schlechten Gewissens. Sie gefalle sich nicht, wahrscheinlich hasse sie sich. Sie wolle nicht nur nichts über
sich selbst erfahren, sie scheue keine Anstrengung, um
sich über die Folgen ihres Tuns hinwegzutäuschen. Das
mache die Situation der Literatur hoffnungslos: Einerseits zählten die meisten Autoren auch zu diesen Menschen und hätten das gleiche Bedürfnis nach Verdrängung, andererseits bissen die wenigen Bücher, die die
Selbsttäuschung zu durchbrechen versuchten, auf Granit.

  Indem er sich dumm stellte, fragte mein Freund, was
denn das nun schon wieder solle, von was für einem
schlechten Gewissen ich da rede. Ich sagte, wenn er
nicht alle Bücher in den Keller geschafft hätte, würde
ich ihm ein Zitat zeigen, das die Frage besser beantwortete, als ich es könnte. Wieder stand er auf, nun mit der
Entschlossenheit von jemandem, der eine Sache hinter
sich bringen will. Er forderte mich auf, mit ihm in den

Keller zu kommen. Unterwegs fragte er nach dem Namen des Autors, ich sagte: Freud, Sigmund.

Auf die numerierten Kartons, die sich bis zur Decke türmten, waren Autorennamen geschrieben; wir fanden Freud im Karton Nummer zwölf. Mit dem gewünschten Buch gingen wir zurück in die Wohnung, die Unternehmung hatte kaum fünf Minuten gedauert.

Das Zitat, das ich meinem Freund vorlas, stammte aus der Schrift *Das Unbehagen in der Kultur* und lautete: »Die Menschen haben es jetzt in der Beherrschung der Naturkräfte so weit gebracht, daß sie es mit deren Hilfe leicht haben, einander bis auf den letzten Mann auszurotten. Sie wissen das, daher ein gut Stück ihrer gegenwärtigen Unruhe, ihres Unglücks, ihrer Angststimmung.«

Das schrieb Freud im Jahre 1930. Ich dachte, um wieviel größer müßten inzwischen doch diese Unruhe, dieses Unglück, diese Angststimmung geworden sein, da die Menschen ihre Fertigkeiten so weit getrieben hätten, daß die freigesetzten Naturkräfte ihnen auf lebensbedrohende Weise aus den Händen geglitten seien. Nur noch wenige glaubten an eine nennenswerte Zukunft, Kultur sei aber nur für *die* Menschen wichtig, die Kultur für etwas Bewahrenswertes hielten, für zukunftsträchtig. Wen würde es da wundern, sagte ich, daß die Bücher verschwänden.

Mein Freund sagte: ›Und *dafür* mußte ich in den Keller laufen?‹

Wir führten das Gespräch noch eine Weile fort, doch mit schwindender Anteilnahme. Beide glaubten wir wohl nicht recht daran, den anderen überzeugen zu können, und, ehrlich gesagt, verlor ich irgendwann auch den Überblick, welches meine und welches seine Position war. Wir sehen uns seitdem nur selten, und wenn es doch geschieht, hoffen wir beide ängstlich, der andere möge nicht wieder von dieser Sache anfangen.

Frankfurter Poetik-Vorlesungen
in der edition suhrkamp

Literaturwissenschaft
in der edition suhrkamp

Literaturwissenschaft
in der edition suhrkamp

Literaturwissenschaft
in der edition suhrkamp

310/3/4.89

Literaturwissenschaft
in der edition suhrkamp